Compositions pro

A guide to composition-writing in French
for CSE and GCE Ordinary level

Stuart Graham
Head of Modern Languages Department
Haydon Bridge High School

Longman

Preface

Many candidates for the CSE and GCE O level examinations find great difficulty in achieving a reasonable standard in the free composition paper. There are two main reasons for this. First, composition-writing is a skill which involves extensive practice and the mastery of a considerable number of structures. Second, many courses do not give separate and concentrated practice in the skill but combine it with practice in the other examination skills.

This book sets out to consolidate and improve composition-writing in two ways: by presenting the information and guidance in concentrated form, and by keeping the 'rate of climb' gradual and the explanations simple.

As it is unwise to make a late start with composition work and as there is a lot of ground to be covered, it would be advisable to complete the first section of the book by the end of the fourth year. The book lends itself to unsupervised learning and revision as well as to guided classwork.

This book has come out of my experience as a CSE examiner and CSE candidates will probably benefit most from using the book, but it will also help GCE O level candidates to improve their accuracy and technique.

Stuart Graham
Hexham, 1981

Section 1   The perfect tense

Unit 1
When to use the perfect tense

In English, when we say what we did in the past, we usually use a one-word verb, like:
I **saw** Jane yesterday.
We **visited** our uncle last week.
But, very often, instead of saying what we did, we say what we have done:
I **have seen** Jane this morning.
We **have visited** France three times.

The part of the verb which follows 'I've' or 'he has' is the **past participle**. Many English past participles end in –ed but a great many do not. Young children often try to make them all end in –ed and say things like, 'I've hurted myself' or 'I've bringed my friend', but we choose the correct word automatically when we know our own language thoroughly.

The French always say what they **have done** rather than what they **did**. We would not say 'I have watched television last night', but that is what the French do when they say: *J'ai regardé la télévision hier soir.*

J'ai regardé is the perfect tense of an -*er* verb. There are more -*er* verbs in French than any other kind and their past participles always end in *é*. So from *chanter* 'to sing', we get *j'ai chanté* 'I have sung' or 'I sang'. Here are further examples:

J'ai quitté l'école. I've left school.
               OR
               I left school.

J'ai travaillé toute la journée. I've worked all day.
                        OR
                        I worked all day.

Nous avons gagné! We've won!
              OR
              We won!

Nous avons cherché partout. We've looked everywhere.
                    OR
                    We looked everywhere.

Now look at pages 4 and 5. The sentences on page 5 refer to the pictures on pages 4 and 5. When you think that you know the sentences, cover them up and try to say, and then write, them by referring to the pictures only. Deal with all future picture stories in this way.

Une soirée variée

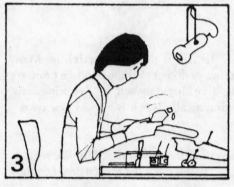

Une soirée variée
1. Hier soir, j'ai terminé mes devoirs.
2. J'ai écouté mes disques.
3. J'ai travaillé à mon modèle réduit d'avion.
4. J'ai bavardé avec mon père dans le jardin.
5. J'ai joué aux échecs avec mon frère, Henri.
6. Puis, nous avons décidé de sortir.
7. Ensuite, nous avons retrouvé nos copains,
8. et nous avons joué au foot.
9. Tout à coup, il a commencé à pleuvoir. Fini le football.
10. Nous avons regagné la maison trempés jusqu'aux os.
11. Nous avons mangé de la soupe bien chaude,
12. et nous avons regardé la télé avant de nous coucher.

Now, two simple exercises to give you some practice in using some of the other common -*er* verbs.

Exercise 1

Modèle: Tu as trouvé l'argent?
         Oui, j'ai trouvé l'argent.
1. Tu as caché l'argent?
2. Tu as nagé dans la piscine?

   3. Tu as appelé la police?
   4. Tu as brisé la fenêtre?
   5. Tu as coupé toute la viande?
   6. Tu as demandé l'addition?
   7. Tu as écouté la radio?
   8. Tu as emporté toutes les assiettes?
   9. Tu as goûté ce gâteau?
10. Tu as laissé tomber la bouteille?

Exercise 2

Modèle: Vous avez bien mangé, vous autres?
           Oui, nous avons bien mangé.
   1. Vous avez grimpé dans l'arbre, vous autres?
   2. Vous avez oublié les sandwichs, vous autres?
   3. Vous avez sonné à la porte, vous autres?
   4. Vous avez cherché vos livres, vous autres?
   5. Vous avez pleuré pendant le film, vous autres?
   6. Vous avez remarqué l'heure, vous autres?
   7. Vous avez gagné le match, vous autres?
   8. Vous avez décidé de rester ici, vous autres?
   9. Vous avez posé des questions, vous autres?
10. Vous avez apporté vos cahiers, vous autres?

Unit 2
More about *-er* verbs

The first unit concentrated on saying what **I**, **you** and **we** did. In this unit we are going to examine how the French say how **he**, **she** and **they** did things. Here are some examples:

Henri a trouvé son argent puis il a acheté des pommes.
Henri found his money then he bought some apples.

Hélène a trouvé le film très triste et elle a pleuré.
Hélène found the film very sad and she cried.

Les filles ont demandé l'addition et elles ont payé le repas.
The girls asked for the bill and paid for the meal.

Louis et Robert ont chanté ensemble et puis ils ont joué de la guitare.
Louis and Robert sang together then they played their guitars.

Now look at the picture story which follows.

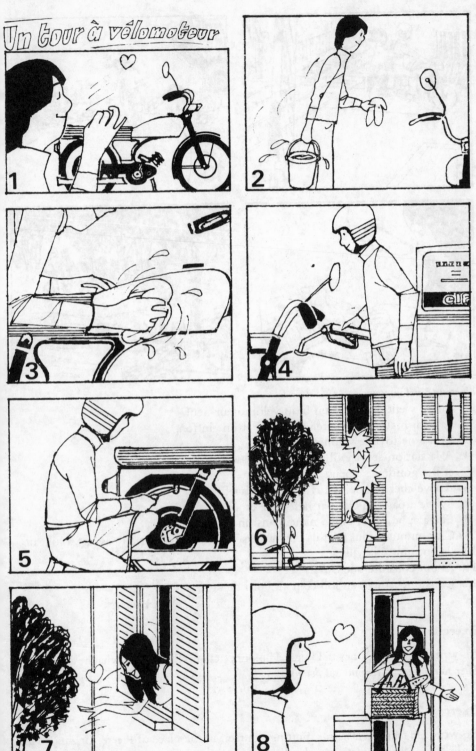

Un tour à vélomoteur

Un tour à vélomoteur

1. Pierre vient d'acheter un beau vélomoteur neuf.
2. Samedi matin, il a cherché de l'eau et un chiffon.
3. Et il a nettoyé le vélomoteur.
4. A la station-service, il a acheté de l'essence,
5. et il a gonflé les pneus.
6. Arrivé chez Sylvie, il a crié 'Ohé Sylvie!'
7. Sylvie a passé la tête par la fenêtre et a agité la main.
8. Elle a apporté un pique-nique dans un panier.
9. Cinq minutes plus tard ils ont traversé le chemin de fer au passage à niveau.
10. Ils ont quitté la ville.
11. Ils ont consulté une carte.
12. Et ils ont trouvé un joli coin au bord de la rivière.

A suivre

Exercise 1

Re-write the picture story in Unit 1. The story-teller is Pierre. Say what he did. Begin:
Hier soir, Pierre a terminé ses devoirs ...

Exercise 2

Re-write *Un tour à vélomoteur*, putting yourself in the place of Pierre. Begin: *Je viens d'acheter* ... *Samedi matin j'ai cherché de l'eau* ...

Unit 3
Questions and answers

Here are three ways of asking the same question:
Vous avez regardé la télévision hier soir?
Est-ce que vous avez regardé la télévision hier soir?
Avez-vous regardé la télévision hier soir?

All three, of course, mean 'Did you watch television last night?' If a **question word** (*qui, quand,* etc.) comes first, you must use the second or third ways:
Qu'est-ce que vous avez trouvé?   What have you found?
Qui a-t-il rencontré?   Who did he meet?

Or you can start by adding more than one word:
Avec qui est-ce que . . .?   Who . . . with?
A quelle heure est-ce que . . .?   At what time . . .?
The techniques of asking questions will be looked at later in more detail in Unit 24.

Now look at the picture story below and on the next page, then try to answer the questions which follow it – without looking back at the story, if possible.

Un tour à vélomoteur (suite)
1. Au bord de la rivière Pierre et Sylvie ont pique-niqué.
2. Ils ont joué au ballon,
3. et ils ont lancé des cailloux à l'eau.
4. A cinq heures ils ont rassemblé leurs affaires pour rentrer.
5. 'Sylvie', a demandé Pierre, 'tu sais conduire un vélomoteur?'
6. 'Non', a été la réponse.
7. Lentement, Sylvie a démarré avec Pierre monté derrière.
8. D'abord, tout a bien marché.
9. Puis Sylvie a accéléré.
10. Et elle a roulé à toute vitesse vers la rivière.
11. Elle a freiné – mais trop tard
12. et ils ont plongé dans la rivière!

Exercise 1

Questions:
1. Où est-ce que Pierre et Sylvie ont pique-niqué?
2. Qu'est-ce qu'ils ont lancé à l'eau?
3. A quelle heure ont-ils décidé de rentrer?
4. Qu'est-ce que Pierre a demandé à Sylvie?
5. Quelle a été la réponse?
6. Comment est-ce que Sylvie a démarré?
7. Tout a bien marché d'abord?
8. Et après, elle a roulé lentement?
9. Est-ce que Sylvie a freiné à temps?
10. Où ont-ils plongé?

Exercise 2

Put yourself in the place of Sylvie and re-tell the second part of *Un tour à vélomoteur*.
Begin: *Au bord de la rivière Pierre et moi avons pique-niqué* ...

Exercise 3

Modèle: Qu'est-ce que Robert a trouvé? Un portefeuille?
          Oui, il a trouvé un portefeuille.
1. Qu'est-ce que Danielle a caché? La photo?
2. Où est-ce que le chat a grimpé? Dans l'arbre?
3. Qu'est-ce que Michel a demandé? L'heure?
4. Combien est-ce qu'Yves a gagné? Vingt francs?
5. Qui est-ce que Bernard a épousé? Monique?
6. Comment est-ce que Pierre a travaillé? Lentement?
7. Qu'est-ce que le chasseur a tué? Un lapin?
8. Qu'est-ce qu'Hélène a oublié? Ses cahiers?
9. Où est-ce que Jean-Paul a posé le livre? Sur la table?
10. Qui est-ce qu'Henri a retrouvé? Ses copains?

Exercise 4

Modèle: Qu'est-ce que les garçons ont apporté? De la limonade?
        Oui, ils ont apporté de la limonade.
1. Qu'est-ce que les filles ont apporté? De la salade?
2. Qui est-ce que les garçons ont rencontré? Leur professeur?
3. Qu'est-ce que Claudette et sa mère ont acheté? Le poulet?
4. Qui est-ce que les enfants ont accompagné? Madame Dufor?
5. Qu'est-ce que M. et Mme Dupont ont emporté? Les œufs?
6. Qu'est-ce que les filles ont cassé? La fenêtre?
7. Qui est-ce que les garçons ont alerté? Les pompiers?
8. Avec qui est-ce que les enfants ont parlé? Avec Marc?

Exercise 5

Complete these questions:
1. ... est-ce que tu as trouvé cet argent?
   — Dans la rue, devant la maison.
2. ... est-ce qu'il a retrouvé?
   — Il a retrouvé Henri.
3. ... est-ce qu'ils ont quitté la maison?
   — A huit heures dix.
4. ... est-ce que vous avez payé?
   — J'ai payé dix francs.
5. ... est-ce que vous avez téléphoné?
   — Parce que je veux parler avec Henri – c'est urgent.

Unit 4
The negative with the perfect tense

Here is the whole of the perfect tense of the verb *gagner* 'to win':
    j'ai gagné   nous avons gagné
    tu as gagné   vous avez gagné
    il a gagné   ils ont gagné
    elle a gagné   elles ont gagné

It has two ingredients – the present tense of *avoir* 'to have' – which is the **auxiliary** or helping verb, and a past participle. If we want to say that we **haven't done** something or **didn't do** something, we put *ne* in front of the helping verb and *pas* after it. *Ne* becomes *n'* before a vowel, so, if we put the whole of *gagner* into the negative, we have:
    je n'ai pas gagné   nous n'avons pas gagné
    tu n'as pas gagné   vous n'avez pas gagné
    il n'a pas gagné   ils n'ont pas gagné
    elle n'a pas gagné   elles n'ont pas gagné

Exercise 1

Turn back to Exercises 1 and 2 of the first unit on pages 5 and 6 and answer with *non* as the first word.

Exercise 2

Do the same with Exercises 3 and 4, Unit 3, pages 11 and 12.

Exercise 3

Give true answers to the following questions, saying whether or not you have done the things referred to:

1. Est-ce que vous avez travaillé hier soir?
2. Est-ce que vous avez écouté vos disques hier?
3. Est-ce que vous avez préparé le petit déjeuner ce matin?
4. Est-ce que vous avez visité la France?
5. Est-ce que vous avez quitté la maison de bonne heure ce matin?
6. Est-ce que vous avez regardé la télé hier soir?
7. Est-ce que vous avez déjeuné dans la cuisine ce matin?
8. Est-ce que vous avez jamais parlé avec un Français?
9. Est-ce que vous avez retrouvé vos ami(e)s hier soir?
10. Est-ce que vous avez téléphoné à un(e) ami(e) récemment?

Exercise 4

Modèle:
J'ai acheté des oignons, mais je n'ai pas acheté de sucre.

1. J'ai acheté du vin, mais . . .

2. Sylvie a acheté de la farine, mais . . .

3. Pierre a apporté des pommes, mais . . .

4. Les enfants ont mangé de la salade, mais . . .

5. Papa a acheté des chaussures, mais . . .

6. Maman a demandé des enveloppes, mais . . .

7. Nous avons apporté les billets, mais . . .

Unit 5
Past participles ending in -*i*

So far, we have only dealt with **past participles** which end in -*é*, because more end like this than in any other way. In English, more past participles end in **-ed** than in any other way: I have cleaned, dusted, washed and ironed all day long!

But, in both languages, there are many other endings for past participles. In this Unit we are going to look at French past participles which end in -*i*. These belong mainly to -*ir* verbs like *finir* but verbs such as *suivre* 'to follow' and *rire* 'to laugh' also have past participles ending in -*i*.

Now look at the picture story on the opposite page.

Un faux pas
1. Un matin, Pierre a fini son petit déjeuner.
2. Puis il a sorti son vélomoteur du garage pour aller à l'école.
3. En route pour l'école il a remarqué deux hommes portant une échelle dans le jardin d'un voisin.
4. Il a réfléchi un instant. 'Les Boileau sont en vacances. Ce sont peut-être des voleurs!'
5. Il a averti la police au téléphone,
6. et les agents ont saisi les deux hommes.
7. 'Mais nous sommes laveurs de vitres!' ont protesté les hommes.
8. Tous les agents ont ri et Pierre a rougi, très embarrassé.

Exercise 1

Answer these questions, first with *oui* then with *non*.
1. Il a grandi, n'est-ce pas?
2. Les spectateurs ont applaudi?
3. Elle a réagi très vite, n'est-ce pas?
4. Il a obéi à l'ordre?
5. Ils ont servi le déjeuner?
6. Les agents ont suivi la voiture?
7. Tu as bien dormi?
8. Vous avez rempli tous les sacs, vous autres?
9. Vous avez choisi un livre, monsieur?
10. Vous avez réussi, madame?

Exercise 2

Rewrite *Un faux pas*, putting yourself in the place of Pierre. Try to do this without looking at the picture story and try to add some ideas of your own.

Un faux pas

Exercise 3

The two halves of the sentences which follow have been jumbled up. Join them up so that they make sense.

1. Danielle est très svelte maintenant
2. Michel est fatigué
3. Notre professeur est sévère
4. Hélène est bien contente
5. Ce sont de bons ouvriers
6. Jean-Paul mesure 1 mètre, 90
7. Ça, c'est une belle robe, Sylvie
8. Tu n'as pas dit la vérité, Robert
9. Fais attention, Pierre
10. Bien sûr qu'il aime son cadeau

– tu as menti.
– ils ont bâti très vite la maison.
– tu as failli tomber!
– il a souri de bonheur.
– il a puni tout le monde.
– il n'a pas bien dormi.
– elle a beaucoup maigri.
– elle a fini tous ses devoirs.
– il a grandi.
– tu as bien choisi.

Unit 6
Past participles ending in *-is* and *-it*

Almost all of the past participles we have studied so far have been closely based on the **infinitive** of the verb:

INFINITIVE	MEANING	PAST PARTICIPLE
trouver	to find	*trouvé*
finir	to finish	*fini*
suivre	to follow	*suivi*

English infinitives, as can be seen from the middle column above, always consist of two words. French ones consist of a single word which always ends in *-er*, *-ir*, or *-re*. The **past participles** of *-er* verbs are always formed like *trouvé* above, but *-ir* and *-re* ones do not all behave like those above. In fact the past participles of many verbs are not at all like their infinitives – for example the past participle of *prendre* 'to take' is *pris*, of *mettre* 'to put' *mis* and there are many others. This Unit examines past participles which end in *-is* or *-it*. Some are based very closely on the infinitive, others are not.

Now look at the picture story on the opposite page.

Sylvie écrit une lettre
1. Hier, j'ai écrit une lettre à ma correspondante anglaise.
2. J'ai décrit Cannes, où j'ai passé mes vacances.
3. J'ai mis des photos des vacances dans l'enveloppe avec la lettre.
4. En vacances, j'ai fait des promenades à vélo.
5. J'ai appris la plongée sous-marine.
6. et j'ai construit d'énormes châteaux de sable pour mon petit frère, Alain.
7. J'ai mis la lettre à la poste
8. et j'ai pris une bière au café à côté de la poste – avec Pierre, bien sûr!

Sylvie écrit une lettre

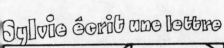

Exercise 1

Suggest questions to which the following sentences are the answers:
1. Oui, j'ai appris à nager.
2. Oui, j'ai mis mon pullover.
3. Oui, j'ai compris la question.
4. Oui, elle a écrit à sa cousine.
5. Oui, il a conduit trop vite.
6. Oui, nous avons fait la vaisselle.
7. Oui, on a décrit le voleur.
8. Oui, ils ont promis de revenir.

Exercise 2

Rewrite the sentences in Exercise 1 beginning with *non* instead of *oui*.

Exercise 3

The two halves of these sentences have been mixed up. Join them up correctly.

1. J'ai traduit	à Henri d'emprunter mon vélo.
2. Vous avez commis	le livre à sa place.
3. Ils ont dit	la lettre en anglais.
4. J'ai permis	sa place.
5. Il a repris	une erreur.
6. On a réduit	le vieux bâtiment.
7. On a détruit	tous les prix.
8. Elle a remis	qu'ils n'ont pas trouvé Sylvie.

Exercise 4

Answer the following questions on *Sylvie écrit une lettre*. Try to do it from memory.
1. A qui est-ce que Sylvie a écrit?
2. Qu'est-ce qu'elle a mis dans l'enveloppe?
3. Qu'est-ce qu'elle a appris en vacances?
4. Qu'est-ce qu'elle a construit?
5. Où a-t-elle pris une bière? Avec qui?

Unit 7
The other past participles

We now come to the rest of the **past participles**. Most of them end in -*u* and come mainly from verbs whose infinitives end in -*re*. There is a group of verbs with the -*re* ending which all behave in the same way, such as *vendre* 'to sell', *attendre* 'to wait' and *répondre* 'to reply'. If you replace the -*re* by -*u*, you have their past participle:

J'ai vendu ma voiture.   I have sold my car. OR I sold my car.

Others are not so closely based on the infinitive. The past participle of *boire* 'to drink' is *bu*, of *croire* 'to believe', *cru*.

Verbs whose infinitives end in *-oir* also have past participles ending in *-u*. *Voir* 'to see' gives:

J'ai vu Jeanne.   I have seen Jeanne. OR I saw Jeanne.

Now learn the examples in the picture story below and on the next page, making sure you know which infinitives they come from.

La ruse
1. Un soir d'hiver, j'étais seul à la maison, écoutant mes disques.
2. Soudain, j'ai entendu quelqu'un frapper à la porte.
3. J'ai ouvert la porte mais je n'ai vu personne.
4. J'ai attendu quelques instants puis j'ai dû rentrer dans la maison à cause du froid.
5. J'ai bu du café et j'ai lu mon livre.
6. Tout à coup, j'ai entendu quelqu'un frapper encore.
7. J'ai ouvert encore une fois et cette fois j'ai vu deux petits garçons se sauver.
8. J'ai couru après les garçons à toutes jambes.
9. Et j'ai reçu une boule de neige en pleine figure.
10. Les deux garçons ont disparu.
11. J'ai perdu ma clef dans la neige.
12. Et je n'ai pas pu rentrer!

Exercise 1

Modèle:
Qu'est-ce que Pierre a perdu?
Il a perdu son stylo.

1. Qu'est-ce que Sylvie a vendu?

2. Qu'est-ce qu'Henri a entendu?

3. Qu'est-ce que les enfants ont bu?

4. Qu'est-ce que les enfants ont voulu faire?

5. Qu'est-ce que Robert a reçu?

6. Où est-ce que tu as attendu?

7. Qu'est-ce que tu as vu hier?

Exercise 2

Write out the following passage, filling in the gaps with the appropriate past participle from the list at the end.

L'enfant prodigue
Henri a . . . . . . le facteur sonner et il a . . . . . . à la porte. Il a pris la lettre, mais, d'abord, il a . . . . . . si peur qu'il n'a pas . . . . . . ouvrir l'enveloppe. Il a . . . . . . la lettre à la main un instant puis il a . . . . . . s'asseoir. Lentement, il a . . . . . . l'enveloppe et a tout de suite . . . . . . l'écriture de son père. Il a même . . . . . . entendre sa voix sévère. Il a . . . . . . ces mots:

Cher Henri,
Nous avons . . . . . . ta lettre il y a cinq jours, et, d'abord nous n'avons pas . . . . . . quoi faire. Finalement, nous avons . . . . . . la voiture et nous avons payé ce que tu dois. Reviens vite.

Papa

Henri n'a pas . . . . . . croire à ses yeux. Il a . . . . . . la lettre plusieurs fois puis, joyeux, il a . . . . . . sa valise au foyer et a appelé un taxi.

reçu, ouvert, tenu, eu, entendu, lu, vendu, descendu, su, cru, reconnu, dû, couru, pu (2), relu.

REVISION

Rewrite *La ruse* from memory saying what Pierre did and what happened to him. Use *il* and try to add some ideas of your own.

Unit 8
Never, nothing, nobody, no more

You have already seen that if you put *n'* before the **present tense** of *avoir* 'to have' and *pas* after it, you can say you **haven't done** or **didn't do** something:

Je n'ai pas trouvé l'argent.   I haven't found the money.
                                                        OR
                                                        I didn't find the money.

Here are some other words you can put with *ne*:

ne … jamais	never
ne … rien	nothing
ne … personne	nobody
ne … plus	no more, no longer
ne … que	only
ne … ni … ni	neither … nor

Exercise 1

Modèle: Avez-vous jamais vu des lions?
            Non, je n'en ai jamais vu.
1. Avez-vous jamais bu du Pernod?
2. Avez-vous jamais lu des romans français?
3. Avez-vous jamais eu un accident sérieux?
4. Avez-vous jamais reçu une carte postale de votre ami français?
5. Avez-vous jamais vendu quelques-uns de votre collection de timbres?

Exercise 2

Modèle: A-t-il vu quelque chose?
            Non, il n'a rien vu.
1. A-t-il entendu un cri?
2. A-t-il vendu tous les légumes?
3. A-t-il reçu beaucoup de cadeaux?
4. A-t-il perdu ses affaires?
5. A-t-il vu l'accident?

Exercise 3

Modèle: Elle a vu quelqu'un?
   Non, elle n'a vu personne.

1. Elle a reconnu quelqu'un?
2. Elle a attendu les autres?
3. Elle a entendu quelqu'un entrer?
4. Elle a revu ses nouveaux amis?
5. Elle a vu le voleur s'échapper?

Of course, the use of **negations**, as these expressions are called, is not limited to this type of past participle nor is it limited to the perfect tense. Here are more useful points to remember about negations:

1. *Ne . . . jamais, ne . . . rien,* and *ne . . . plus* go on either side of the helping verb *avoir.*
2. As you can see from Exercise 3, *ne . . . personne* does not behave in the same way. *Personne* goes **after** the past participle. So does *que* and *ni . . . ni.*
3. If you want to say something like 'Nobody answered', you use *personne ne . . .* like this:
   Personne n'a répondu.
You can do the same thing with *rien ne . . .*:
   Rien n'est arrivé. Nothing happened.
4. You can sometimes use more than one of these expressions with one verb, like this:
   Il n'y a plus rien. There's nothing more.

Try to work out what these examples mean. Read back through the notes if you are stuck:

1. Je n'ai vu que trois hommes.
2. Elle n'a entendu ni les cris ni le coup de feu.
3. Je n'ai plus reçu de ses nouvelles.
4. Rien n'a troublé le silence.
5. Personne n'a aidé le cycliste blessé.
6. Il n'y a plus personne ici.
7. Je n'ai plus rien.
8. Il n'a rien que ces vieux livres.
9. Je n'ai jamais vu personne ici.
10. Elle n'y va plus jamais.

If you are using one of these expressions do not use *pas* as well.

REVISION
Exercise 1

Write answers to the following questions:
a) Hier soir
1. Vous avez fait tous vos devoirs hier soir?
2. A quelle heure avez-vous fini?
3. Vous avez regardé la télé?
4. Pendant combien de temps?
5. Vous avez lu le journal?

b) Ce matin
   1. Vous avez bien déjeuné ce matin?
   2. Qu'est-ce que vous avez mangé?
   3. Qu'est-ce que vous avez bu?
   4. A quelle heure avez-vous quitté la maison?
   5. Vous avez reçu du courrier?

Exercise 2

Write out the following passage, filling in the gaps with the correct past participle from those listed at the end:
— Vous avez bien . . . . . .?
— Oui bien sûr, monsieur, j'ai . . . . . . le lit très confortable.
— Il n'y a pas . . . . . . trop de bruit?
— Enfin, j'ai . . . . . . le bruit des voitures mais ça, c'est normal à Paris, je suppose
— Vous avez déjà . . . . . . Paris?
— Oui, bien sûr, j'ai . . . . . . plusieurs vacances ici – la dernière il y a dix ans.
— Ah oui? Vous trouvez que la ville a beaucoup . . . . . .?
— Pas trop. On a . . . . . . beaucoup de bâtiments nouveaux, mais autrement, non.
— Qu'avez-vous . . . . . . hier?
— Alors, j'ai . . . . . . un bateau-mouche pour voir la Seine puis j'ai . . . . . . plusieurs
bières à la terrasse d'un petit café. J'aime me reposer en vacances.

bu, fait, trouvé, visité, construit, eu, passé, entendu, dormi, pris, changé

Unit 9
Linking with the infinitive

When you are writing compositions or letters, you often need to make one verb lead straight into another one. Here are some examples showing how this happens in English. Usually, we make the second verb an **infinitive**:
I have decided **to stay**.
He began **to run**.
They wanted **to leave**.

After some verbs, the 'to' disappears from the infinitive:
He can **go**, but you must **stay** here.
I saw him **arrive**, but I didn't hear him **leave**.

Sometimes we make the second verb a **present participle** instead of an infinitive, so:
I like to play football but I prefer to listen to records.
can become:
I like **playing** football but I prefer **listening** to records.

When the French join two verbs together, they always use an **infinitive** in expressions like those you have looked at in English, and the first verb introduces the second in one of three ways:

1. Some verbs introduce the second one directly. *Vouloir* is one of these:
   J'ai voulu partir. I wanted to leave.

2. Others need *à* before the second verb. *Commencer* is one of this type:
   Il a commencé à courir. He began to run.

3. Others, like *oublier*, need *de*:
   Nous avons oublié de téléphoner. We forgot to telephone.

Here are lists of the most important verbs of each of the three types. As we are concentrating on the **perfect tense** in this section of the book, most of the examples show the first verb in that tense, but the verbs will, of course, link the same way in any tense. Some present tense examples are included in the first list because that is the most common way of using those verbs.

1. Verbs which link directly

a) *Aller* and *venir*
   Allez chercher un couteau. Go and get a knife.
   Venez voir! Come and see!
   Aller with an **infinitive** is a useful way of saying what you are going to do:
   Je vais sortir ce soir. I'm going to go out tonight.

b) *Entendre, regarder, voir*
   These need an **object** or **object pronoun** if they link with a second verb:
   Je l'ai vu arriver, je l'ai regardé entrer mais je ne l'ai pas entendu partir. I saw him arrive, I watched him go in but I didn't hear him leave.

c) *Devoir, pouvoir, savoir, vouloir*
   J'ai dû rentrer dans la maison. I had to go back into the house.

   J'ai dû can also mean 'I must have':
   J'ai dû laisser mes gants dans le magasin. I must have left my gloves in the shop.
   Je n'ai pas pu le voir. I couldn't see him.
   Il sait nager mais il ne sait pas plonger. He can (knows how to) swim but he can't dive.

d) *Il faut, il vaut mieux*
   Il est tard, il faut rentrer. It's late, we'll (he'll, you'll, etc.) have to go back.
   Il vaut mieux rester ici. It's better to stay here.

e) Verbs of feeling – not often in the perfect tense
   J'aime jouer au football mais je préfère écouter des disques. I like playing football but I prefer listening to records.
   J'espère aller à l'université. I hope to go to university.
   Je n'ose pas répondre. I daren't answer.
   Elle aime mieux jouer au volleyball. She prefers playing volleyball.

f) *Faire, faillir* 'to nearly do something', *laisser*
   Il m'a fait travailler. He made me work.
   Il a failli tomber. He nearly fell.
   Je l'ai laissé entrer. I let him (come) in.

Some of the examples have **object pronouns**. This subject is dealt with more fully in Section 2, Units 13 to 17.

If there are two verbs, the object pronoun must go in front of the one it belongs to, which could be either the first or the second:
   Je n'ai pas pu le faire. I couldn't **do it**.
   Je l'ai vu arriver. I **saw him** arrive.

2. Verbs which link with *à*

a) *Apprendre, commencer, continuer, réussir*
   En vacances, Hélène a appris à nager. On holiday Helen learned to swim.
   Nous avons commencé à courir. We began to run.
   Elle a continué à pleurer. She continued to cry.
   J'ai réussi à trouver une place libre. I managed to find an empty seat.

b) *Aider, inviter*
   These two need **objects** or **object pronouns**:
   Il a aidé la vieille dame à traverser la rue. He helped the old lady to cross the road.
   Je l'ai invité à m'accompagner. I invited him to go with me.

c) *S'amuser, se mettre, s'intéresser*
   Je m'amuse à écouter des disques. I enjoy listening to records.
   Il se met à examiner les valises. He begins to examine the cases.
   Je m'intéresse à collectionner les timbres. I am interested in stamp–collecting.

3. Verbs which link with *de*

a) *Avoir peur, cesser, décider, essayer, finir, oublier, refuser*
   J'ai peur d'entrer. I'm afraid to go in.
   Il a cessé de pleuvoir. It has stopped raining.
   J'ai décidé de partir. I've decided to leave.
   Nous avons essayé de téléphoner. We tried to telephone.
   Ils ont fini de travailler. They've finished working.
   Elle a oublié de payer. She forgot to pay.
   Il a refusé de me voir. He refused to see me.

b) *(S')empêcher, prier*
   These take **direct objects** or **object pronouns**:
   J'ai empêché Henri d'entrer et je l'ai prié d'attendre dehors. I stopped Henri coming in and begged him to wait outside.
   Je n'ai pas pu m'empêcher de rire. I couldn't help laughing.

c) *Conseiller, défendre, demander, dire, ordonner, permettre, persuader, promettre, proposer*
   This is an important group which takes an **indirect object** or **object pronoun**.

Notice that although they always take an indirect object in French, they never have the word 'to' in English:

Je lui ai conseillé	de rentrer chez lui.	I advised	him to go home.
défendu		forbade	
demandé		asked	
dit		told	
ordonné		ordered	
permis		allowed	
persuadé		persuaded	

d) It is only with *lui* 'to him' and 'to her', and *leur* 'to them', that confusion can arise. Remember that *me*, *te*, *nous* and *vous* can all be direct or indirect:

Il m'a vu. He saw me (**direct**).

Il m'a dit de partir. He told me to leave (**indirect**).

But there are separate sets of words for 'him', 'her', 'them' and 'to him', 'to her', 'to them', so you must not suppose that 'him' will be *le* or *l'* every time. If it goes with one of the verbs in the list above, or with verbs like *donner*, *prêter*, etc., it will be *lui*. So, 'I asked him to come with me' is: *Je **lui** ai demandé de venir avec moi.*

Exercise 1

1. Qu'est-ce que Sylvie a oublié d'acheter?

2. Où est-ce que les enfants ont décidé d'aller?

3. Qu'est-ce qu'Hélène a essayé d'acheter?

4. Qu'est-ce que Georges et Hélène ont commencé à faire?

5. Qu'est-ce que Jean-Yves a appris à faire?

6. Qu'est-ce que Pierre a refusé de faire?

7. Qu'est-ce que Sylvie a invité Pierre à faire?

8. Qu'est-ce que les enfants ont voulu faire?

Exercise 2

The two halves of these sentences have been jumbled up. Join them up correctly.

1. J'ai entendu quelqu'un	à gagner un prix.
2. Pierre m'a aidé	frapper à la porte.
3. C'est dangereux, ça! Tu as failli	rester ici.
4. Les ouvriers ont fini	de pleuvoir.
5. Il a continué	oublier de venir.
6. Nous avons empêché le voleur	tomber à l'eau.
7. Soudain, il a cessé	à faire mes devoirs.
8. Nous sommes perdus, il vaut mieux	de travailler.
9. Elle n'est pas là. Elle a dû	à neiger toute la nuit.
10. Hélène a réussi	de sortir du magasin.

Exercise 3

Modèle:
Qu'est-ce que M. Dufor a demandé à son fils cadet?
Il lui a demandé de mettre la table.

2. Qu'est-ce qu'il a permis à son fils aîné?

1. Qu'est-ce qu'il a défendu à son fils cadet?

3. Qu'est-ce qu'il a dit aux garçons?

4. Qu'est-ce qu'il a proposé aux garçons?

5. Qu'est-ce qu'il a promis à sa femme?

REVISION

1. Write out the following sentences, filling in the gaps with *l'*, *les*, *lui* or *leur*:

a) Je ... ai vus hier.

b) Sylvie a téléphoné à Pierre et ... a raconté toute l'histoire.

c) — Tu as écrit à tes parents?

    — Oui, je ... ai envoyé une carte postale.

d) Quand il ... a trouvés, il ... a dit de ne pas bouger.

e) Pierre a emmené Sylvie au cinéma hier soir mais il ... a demandé de payer son billet elle-même.

f) — Vous ... avez empêché d'entrer?

    — Oui, je ... ai défendu d'entrer chez moi.

2. Write out the following passage, filling in the gaps from the words listed at the end:

L'accident

Samedi matin, la mère de Sylvie lui a ... d'aller en ville acheter du pain. Sylvie a ... d'y aller à bicyclette. Elle a ... le pain et l'a ... sur la bicyclette. Elle a ... à rouler tranquillement vers chez elle.

Soudain, un petit garçon a ... tomber son ballon et a ... de le rattraper en courant dans le chemin. Sylvie a ... freiner brusquement. Elle a ... à éviter le petit mais, malheureusement, un gros camion a ... freiner aussi. La voiture derrière lui n'a pas ... l'éviter et il y a ... une collision.

'Qu'est-ce que tu ... faire, toi?' a ... le camionneur. 'Tu ... de nous tuer ou quoi?' 'Alors, j'ai ... ce petit garçon devant moi', a ... Sylvie.

'Quel petit garçon?' a ... le chauffeur de la voiture. 'Je ne ... pas de petit garçon, moi. Je ... appeler la police'.

Heureusement pour Sylvie, le petit garçon a ... avec son ballon et a tout ... à l'agent de police qui a ... à Sylvie de partir. Sylvie a ... reprendre son chemin, très soulagée.

pu (2), dû (2), eu, vu, répondu, reparu, commencé, acheté, raconté, demandé (3), laissé, décidé, essayé, réussi, mis, permis, vais, veux, vois, essaies

Unit 10
Bringing and taking

When writing compositions, you often need to use the various French verbs for **bringing** and **taking** as many stories involve the moving around of things and people. In English we can say:

I took the money to the police station.
OR
I took the little girl home.

We don't use different verbs for things and people, but in French there are two different sets of verbs:
1. For things
    porter to take
    apporter to bring
    rapporter to bring back
2. For people and animals
    emmener to take
    amener to bring
    ramener to bring back (home)

If you remember that *porter* means 'to carry' as well as 'to take' it will help you to choose the right set of verbs. If you bring or take things somewhere, it usually involves carrying, but if you bring a friend home for tea or take your little brother to the pictures, no carrying is involved.

Amener is not used very much, except in expressions like *Amenez votre ami* 'Bring your friend along', i.e. to an outing of some sort. Usually you bring people to your house, in which case *ramener* is more normal:

J'ai ramené mon copain, André, pour le goûter. I've brought my pal Andrew for tea.

If the actual carrying of a person is involved, because they are ill for example, you use the *porter* type of verb:

On a porté l'enfant blessé chez lui. They took the injured child home.

Il était blessé quand on l'a rapporté. He was injured when they brought him back.

On a transporté le malade à l'hôpital. They took the patient to hospital.

Never use *prendre* for taking people or things from one place to another, use one of the verbs given above.

Now look at the picture story and try to answer the questions which follow it from memory. Pierre has passed his driving test and can now drive the family car. One Saturday he puts his new-found skill to good use.

Now look at the picture story on the next two pages.

Pierre qui roule
1. A huit heures, il a emmené son père à la gare.
2. A neuf heures, il a emmené sa mère et leur voisine Mme Malaplate aux magasins.
3. Elles ont fait leurs achats au supermarché.
4. Pierre a mis toutes les provisions dans le coffre ...
5. et ils les ont rapportées chez eux.
6. A dix heures et demie, il a mis la tondeuse dans le coffre ...
7. et il l'a portée chez sa grand-mère.
8. Il a tondu le gazon pour elle.
9. Ensuite, à deux heures, après avoir déjeuné, il a emmené tous ses petits voisins à la piscine ...
10. et il les a ramenés à quatre heures.
11. Assez fatigué, il a commencé à regarder la télévision. 'Va chercher papa à la gare, veux-tu?' a demandé sa mère.
12. Finalement, à cinq heures, il a ramené son père à la maison.

Pierre qui roule

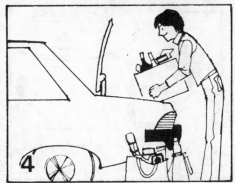

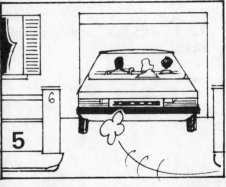

Exercise 1

When answering the following questions, use *Il l'a* . . . or *Il les a* . . . at the beginning
of each sentence. Take care with the past participles.
1. Où est-ce que Pierre a emmené son père?
2. Où est-ce qu'il a emmené sa mère et leur voisine?
3. Où est-ce qu'il a mis les provisions?
4. Où est-ce qu'il a mis la tondeuse?
5. Où est-ce qu'il l'a portée?
6. Où est-ce qu'il a emmené ses petits voisins?
7. A quelle heure est-ce qu'il les a ramenés?
8. A quelle heure est-ce qu'il a ramené son père?

Exercise 2

a) You have found a wallet (*un portefeuille*) containing a large sum of money. Say in
    about 60 words what you did with it.
b) You have found a little girl lost and wandering on the beach. Say in about 60 words
    how you reunited her with her parents.

Unit 11
The perfect tense with *être* – verbs of movement

1. So far in this book, you have been learning about verbs which form their perfect tense with the present tense of *avoir* and a **past participle**. A small number of verbs – about 20 – form their perfect tense with the present tense of *être* 'to be' instead of *avoir*. Although there are not very many of these verbs, they are very important in the writing of compositions or letters as they are used so frequently. They are mainly verbs to do with movement – *venir* 'to come', *aller* 'to go', *arriver* 'to arrive', *partir* 'to leave' and so on.

You will see a full list later in the unit, but first let's look at how these verbs work. Here is an example:
  Je suis arrivé.   I have arrived. OR I arrived.

You can see that although the form of *arriver* is different from the type of verb you have been learning up to now, it has the same meaning as an *avoir* verb.

2. Examine these two phrases:
  Il est content.
  Elle est contente.
There is an *e* on the end of *contente* in the second phrase because we are talking about a **girl** or a **woman**. The same thing happens with the **past participles** of verbs which go with *être*:
  Il est arrivé. He has arrived.
  Elle est arrivée. She has arrived.

3. Here is the complete perfect tense of *aller* 'to go'. The letters in brackets will be explained after the verb:

je suis allé(e)	nous sommes allé(e)s
tu es allé(e)	vous êtes allé(e)(s)
il est allé	ils sont allés
elle est allée	elles sont allées

Of course you would never actually write *je suis allé(e)* in a composition complete with brackets – the *e* would either be there or it wouldn't, depending on whether or not the thing or person talked about was female:
  'Hier, je suis allé à la piscine', a dit Pierre.
  'Hier, je suis allée à la piscine', a dit Sylvie.
Both Pierre and Sylvie have said, 'Yesterday I went to the swimming pool'. We have put an *e* in brackets to show that if a girl says it, there must be an *e* in the written form. The same goes for the next part:
  Tu es allé en ville, Henri?
  Tu es allée en ville, Annique?

The *e* in brackets in *nous sommes allé(e)s* is because it could be men or women, boys or girls talking:

'*Nous sommes allés chez Henri'*, *ont dit les garçons.*
'*Nous sommes allées chez Henri'*, *ont dit les filles.*

Using *vous* requires the most care, for it could refer to one man:

Vous êtes allé en ville, Jean?

Several men:

Vous êtes allés en ville, messieurs?

One woman:

Vous êtes allée en ville, Lucie?

Or several women:

Vous êtes allées en ville, mesdemoiselles?

There are no letters in brackets after the other persons because they must end as shown – *il* can only be a man, *elle* a woman.

So remember to put:

  e if you are talking about a woman, a girl or a feminine noun like *la voiture*;
  s if you are talking about more than one man, more than one boy, more than one masculine noun e.g. *les trains*, or a mixed group of men and women. (Remember that 'they' is *ils* if you are talking about a mixed group);
  es if you are talking about several girls, women or feminine nouns e.g. *les voitures.*

4. It is worth remembering that these past participle changes do not affect the way they are pronounced, either for *avoir* verbs or *être* verbs. (The only past participles which show any pronunciation change are those which end in *s* or *t*, for example *mis* or *écrit*. They sound different if *e* or *es* is added. None of them are verbs which go with *être*.)

5. Most people have difficulty in remembering which verbs 'go with' *être*. There not many so it is well worth the trouble of learning them by heart. Here they are, most of them arranged in pairs of opposite meaning:

je suis allé I went	*je suis retourné* I went back
je suis venu I came	*je suis revenu* I came back
je suis parti I left	*il est né* he was born
je suis arrivé I arrived	*il est mort* he died
je suis sorti I went out	*je suis remonté* I went up again
je suis entré I went in	*je suis redescendu* I went down again
je suis monté I went up	
je suis descendu I went down	

Others, not in opposite pairs:

je suis resté I stayed
je suis tombé I fell
je suis devenu I became
je suis rentré I went (back) home

6. Some of these verbs have another meaning as well as the one given. For example, *sortir* can mean 'to take out' (a wallet, etc.). When they have another meaning these verbs take objects and become *avoir* verbs in the perfect tense.

J'ai sorti mon portefeuille. (took/brought out)
J'ai rentré mon vélo. (took/brought in)
J'ai descendu mes valises. (took/brought down)
J'ai monté mes valises. (took/brought up)
J'ai retourné le livre. (took/brought back)

Note also: *J'ai monté l'escalier* 'I went upstairs' and *J'ai descendu l'escalier* 'I went downstairs'.

7. Asking questions works in exactly the same way as with *avoir* verbs (Unit 3).

          Vous êtes rentré tard?
Est-ce que vous êtes rentré tard?   Did you come home late?
       Etes-vous rentré tard?

If you want to ask, 'haven't you …?' or 'didn't you …?':

Vous n'êtes pas rentré tard?
N'êtes-vous pas rentré tard?

8. Take careful note of the following examples:

Il est entré. He went in.
BUT
*Il est entré **dans** la maison.* He went into the house.

Elle est montée. She got on.
BUT
*Elle est montée **dans** le train.* She got onto the train.

Je suis parti. I left.
BUT
*Je suis parti **de** chez moi.* I left home.

Nous sommes sortis. We went out.
BUT
*Nous sommes sortis **de** la pièce.* We went out of the room.

Ils sont descendus. They got off.
BUT
*Ils sont descendus **de** l'autobus.* They got off the bus.

Those extra words must always go in when you are writing this sort of sentence.

9. If you want to say somebody went and did something or came and did something, you just put an **infinitive** after *aller* or *venir*.

Je suis allé chercher un agent. I went and looked for a policeman.
Il est venu m'aider. He came and helped me.

10. Now look at the picture story on the next two pages.

La journée de Michel

La journée de Michel

1. Je suis parti pour l'école à huit heures ce matin.
2. J'y suis allé en autobus.
3. Je suis monté dans l'autobus près de la gare ...
4. et je suis descendu de l'autobus devant l'église.
5. Mon amie Hélène est venue à l'école avec moi ...
6. et nous sommes entrés dans l'école à neuf heures moins le quart.
7. Nous sommes sortis de l'école à quatre heures ...
8. et je suis allé jouer au football.
9. En jouant, je suis tombé dans la boue.
10. Le soir, je suis resté chez moi ...
11. mais mes parents sont sortis pour aller au cinéma ...
12. et ils sont revenus à minuit.

Exercise 1

Say what Michel did, from memory. Begin: *Il est parti* ...

Exercise 2

Answer these questions about what you have been doing. Use *Je suis* ... or
Je ne suis pas ... in your answers:
1. A quelle heure êtes-vous rentré à la maison hier soir?
2. A quelle heure êtes-vous allé au lit?
3. A quelle heure êtes-vous parti de la maison ce matin?
4. Comment êtes-vous allé à l'école?
5. Etes-vous arrivé à l'école à l'heure?
6. A quelle heure êtes-vous entré dans la salle de classe?
7. Samedi dernier, êtes-vous resté à la maison ou êtes-vous sorti?
8. En quelle année êtes-vous né?

Remember that girls should put an *e* on the past participles.

Exercise 3

Modèle:
Comment est-ce que
les élèves sont arrivés?
Ils sont arrivés en
autobus.

1. Comment est-ce
que vous êtes allé en
vacances?

2. Comment est-ce
que grand-mère est
arrivée?

3. Comment est-ce
que Michel est parti
pour la gare?

4. Comment est-ce
que Suzanne est
venue?

5. Michel est venu à
pied?

REVISION

1. Below is an account of what Pierre did yesterday. Write it out, filling in the gaps
with *il a* ... or *il est* ...

La journée de Pierre

Hier, la journée de Pierre a commencé à sept heures. ... allé à la salle de bains d'abord
et ... pris une douche. A sept heures dix ... allé à la cuisine où ... mangé un bon petit
déjeuner avant de partir pour l'école. ... quitté la maison à sept heures et demie et ...
retrouvé ses amis au coin de la rue. A huit heures moins vingt l'autobus est arrivé.
Pierre était le dernier de la queue. ... monté et ... acheté son billet. En route

bavardé avec ses amis. Finalement ... arrivé à l'école et ... descendu de l'autobus
avec les autres.

... travaillé toute la journée jusqu'à cinq heures puis ... rentré. ... resté à la
maison pour faire ses devoirs et avant d'aller au lit ... regardé la télé.

2. Take the passage above from *A sept heures dix* ... and write it out again saying
what Pierre and his brother Henri did.
Use *ils ont* ... or *ils sont* .... Remember that if you use *ils sont* ... the past participle
will need an extra *s*. Remember also that *ses* will become *leurs*.

Unit 12
The perfect tense with *être* – reflexive verbs

1. Some of the most common and useful French verbs (and ones that you are sure to
need in writing an account of your day, for example) are what are known as *reflexive
verbs*. Examples of them are *se réveiller* to wake up and *se laver* to wash.

Reflexive verbs are ones in which the action is done to oneself. *Se réveiller* means,
literally, 'to waken oneself up', *se laver* means 'to wash oneself'. In English this
'oneself' bit (or himself, herself, yourself, etc.) is often not needed. For example, *je me
réveille* 'I wake up' or *il se lave* 'he washes' or 'he gets washed'. But, in French, it always
has to be there.

2. All French reflexive verbs go with *être*. Here is an example of an entire reflexive
verb in the perfect tense – the *e* and *s* in brackets are for the same reasons as were given
at the beginning of the last unit. Check if you can't remember:

> je me suis réveillé(e)
> tu t'es réveillé(e)
> il s'est réveillé
> elle s'est réveillée
> nous nous sommes réveillé(e)s
> vous vous êtes réveillé(e)(s)
> ils se sont réveillés
> elles se sont réveillées

3. The same three ways of **asking questions** that have been explained in previous
units apply to these verbs too:

> *Vous vous êtes réveillé tôt, Henri?*
> *Est-ce que vous vous êtes réveillé tôt, Henri?*
> *Vous êtes-vous réveillé tôt, Henri?*

4. If Henri wanted to say that he hadn't woken up early, he would say:

> *Non, je ne me suis pas réveillé tôt.*

Notice the position of the *ne ... pas*.

Pierre en vacances

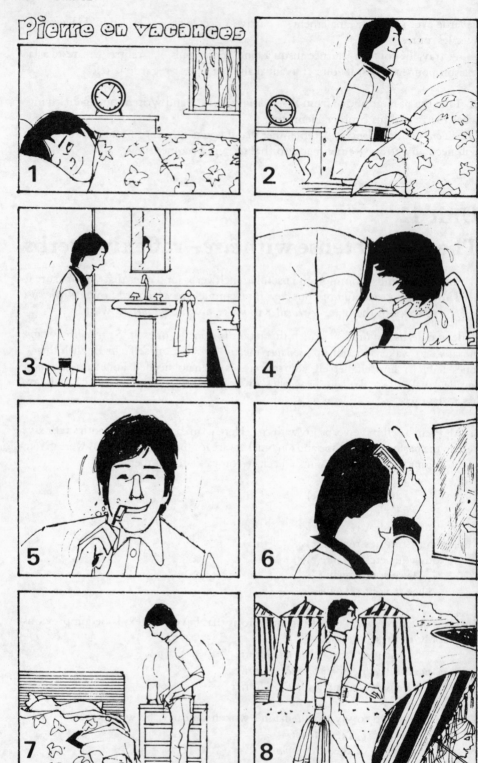

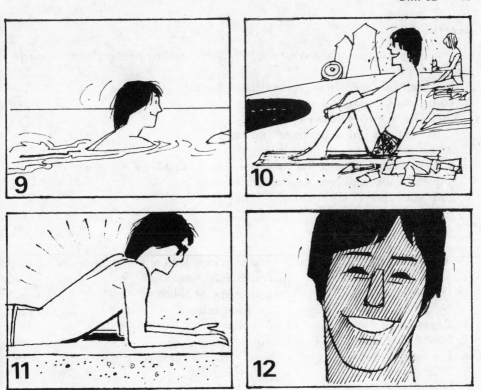

Now look at the picture story on these two pages.

Pierre en vacances

1. Comme je suis en vacances je me suis réveillé tard ce matin vers dix heures.
2. Au bout de dix minutes je me suis levé.
3. Je suis allé à la salle de bains.
4. Je me suis lavé . . .
5. et je me suis brossé les dents.
6. Je me suis peigné les cheveux.
7. Dans ma chambre, je me suis habillé.
8. Puis je me suis rendu à la plage.
9. Je me suis baigné . . .
10. et après je me suis assis sur ma serviette pour me sécher au soleil.
11. Ensuite je me suis couché au soleil.
12. Je me suis bien amusé. C'est mieux que le travail!

Exercise 1

Write out from memory what Pierre did. Use *il s'est* . . . .

Exercise 2

Answer these questions about what you have done. Girls, remember the extra *e* on the past participle.
1. A quelle heure vous êtes-vous réveillé ce matin?
2. Vous vous êtes levé tout de suite?
3. Où est-ce que vous vous êtes lavé?
4. Vous vous êtes brossé les dents? (no extra e here)
5. Où est-ce que vous vous êtes habillé?
6. A quelle heure est-ce que vous vous êtes assis à la table pour déjeuner ce matin?
7. A quelle heure vous êtes-vous couché hier soir?
8. Vous vous êtes amusé hier soir?

Exercise 3

The two halves of these sentences have been jumbled up. Join them up correctly.

1. Je me suis promené	derrière un arbre.
2. Henri s'est dépêché	d'un agent de police.
3. Nous nous sommes levés	dans son fauteuil.
4. Papa s'est reposé	de bonne heure.
5. Hélène s'est déshabillée	dans le jardin public.
6. Les enfants se sont sauvés	pour prendre l'autobus.
7. Michel s'est caché	devant l'école.
8. L'autobus s'est arrêté	après le dîner.
9. Il s'est installé	pour aller au lit.
10. Je me suis approché	à toutes jambes.

5. As you can see from the exercises above, the majority of reflexive verbs are *-er* verbs, with past participles ending in *-é*.

6. Verbs which are not normally reflexive can become so if they have the added meaning of 'myself' or 'to myself', etc.:
   Je me suis dit ... I said to myself ...
   Il s'est regardé dans la glace. He looked at himself in the mirror.

7. Verbs which have the added meaning of 'each other' or 'to each other' also become reflexive:
   Elles se sont écrit. They wrote to each other.
   Ils se sont serré la main. The shook hands (with each other).
The past participle is not affected if the meaning is **to** myself etc. or **to** each other.

8. When reflexive verbs are used for actions **to** parts of the body, the past participle does not agree:

Elle s'est (lavé les mains.	She (washed her hands.
(brossé les dents.	(cleaned her teeth.
(essuye le front.	(wiped her forehead.
(cassé la jambe.	(broke her leg.
(foulé la cheville.	(sprained her ankle.

9. Sometimes when an **object** performs an action, a reflexive verb is used. Here are the most important examples:

La porte s'est ouverte.	The door opened.
La porte s'est fermée.	The door closed.
La voiture s'est arrêtée.	The car stopped.
La glace s'est cassée.	The ice broke.

10. Except when referring to actions to the body in expressions like this:

Il s'est lavé les mains.

reflexive verbs do not have objects. So if you want to say for example, 'She washed the car' or 'He stopped the car', you use the ordinary form of the verb (that is **not** the reflexive):

*Elle **a lavé** la voiture*
*Il **a arrêté** la voiture.*

11. Finally, here are a few more useful expressions using reflexive verbs:

Il s'est mis en route.	He set off.
Il s'est mis à courir.	He began to run.
Il s'est fait mal.	He hurt himself.
Il s'est fait mal au bras.	He hurt his arm.
Il s'est rendu compte que ...	He realised that ...
Il s'est souvenu que ...	He remembered that ...
Il s'est excusé.	He apologised.

REVISION

You have now worked through each type of perfect tense construction. You are now ready to start writing sentences which make use of these constructions. To start things off in a fairly easy way, here are some questions about what you have been doing, using a mixture of the topics you have been learning about. Say the answers, then write them. When you know them thoroughly, close the book and then write down everything you did yesterday, beginning: *Hier matin je me suis réveillé(e) à* ... *heures*.

Keeping a French diary is another way of getting constant practice in the use of the perfect tense. Try it for a week and see how your efficiency improves.

Exercise 1

Remember to use object pronouns to shorten your answers, where appropriate. In number 17, for example:

Oui, j'ai dit bonjour au professeur.

could become:

Oui, je lui ai dit bonjour.

1. A quelle heure est-ce que vous vous êtes réveillé(e) ce matin?
2. Vous vous êtes levé(e) tout de suite?
3. Qu'est-ce que vous avez fait ensuite?

4. Est-ce que vous êtes entré(e) dans la salle de bain le premier (la première)?
5. Qui est entré le premier dans la cuisine?
6. Qu'est-ce que vous avez mangé pour le petit déjeuner?
7. Qu'est-ce que vous avez bu?
8. A quelle heure avez-vous quitté la maison?
9. A quelle heure êtes-vous arrivé(e) ici?
10. Comment êtes-vous venu(e) à l'école?
11. Vous avez bien travaillé aujourd'hui?
12. A quelle heure êtes-vous rentré(e) à la maison hier soir?
13. Est-ce que vous avez regardé la télévision hier soir?
14. Vous l'avez trouvée intéressante?
15. Où avez-vous mis vos livres en arrivant à l'école?
16. A quelle heure vous êtes-vous couché(e) hier soir?
17. Vous avez dit bonjour au professeur ce matin?
18. Où êtes-vous allé(e) en vacances l'été dernier?
19. Combien d'heures de devoirs avez-vous faites hier soir?
20. Quel film avez-vous vu la dernière fois que vous êtes allé(e) au cinéma?

Exercise 2

Write out the story below, filling in the gaps with *a*, *est* or *s'est*.

L'anniversaire d'Hélène

Le jour de son anniversaire, Hélène . . . levée la première et . . . attendu patiemment.
A huit heures précises, elle . . . entendu le facteur sonner et . . . allée ouvrir. Le facteur,
Monsieur Boucherit, lui . . . donné un gros tas de lettres et de cartes. Elle . . . remontée
lentement à sa chambre tout en ouvrant les enveloppes. Elle . . . lu toutes les cartes
puis elle . . . entrée dans la salle de bains. Là, elle . . . lavée et . . . brossé les dents puis
elle . . . rentrée dans sa chambre pour s'habiller.

Elle . . . réveillé sa sœur Annique et elle . . . descendue à la cuisine où elle . . .
commencé à préparer le petit déjeuner.

Peu après, sa mère . . . descendue aussi portant un gros paquet. 'Bon anniversaire,
chérie ! . . . -t-elle dit, 'ouvre-le !' Hélène . . . souri de bonheur et . . . mise à défaire
le paquet.

Exercise 3

You are now ready to write a full-length composition using all you have learnt about
the perfect tense. A set of pictures follows. Write an account of what happened. Here
are some perfect tense verbs you could use if you wish:

se sont levés	*ont commencé à*	*ont décidé de*
sont partis	*ont mangé*	*ont acheté*
se sont mis en route	*n'ont rien pris*	*sont rentrés*
sont arrivés	*a eu (une idée)*	*ont montré*

It is important to keep a composition moving by using link words and phrases. This is
something you will look at in more detail in Unit 27. Meanwhile, here is a list of words

and phrases you might find useful for this composition:

de bonne heure early	*toute la journée* all day long
d'abord first	*tout à coup* suddenly
puis then	*alors* so
ensuite next	*enfin* finally

Make any additions or changes you wish. A suggested version of this composition appears in Reference section A, page 117. Do not look at it until after you have produced your own version.

une poissonnerie   a fishmonger's

Section 2 Using object pronouns with the perfect tense

Unit 13
Him, her, it, them

The next five units are about **pronouns**. In both English and French, pronouns are widely used in speaking and writing. One of their uses is to save you repeating yourself. For example, you would not hear this sort of thing in English:
 'Have you seen Mary Robinson today?'
 'Yes, I saw Mary Robinson this morning.'

You would, of course, reply 'Yes, I saw **her** this morning'. So 'her' is the pronoun you would use to save repeating the name 'Mary Robinson'. As we are examining the perfect tense for the purposes of compositions, we shall look especially at how pronouns are used with this tense but, of course, pronouns combine with any tense.

Mastering pronouns calls for methodical learning, but if you can use them confidently, your compositions or letters – and indeed your spoken French – will be natural and accurate so it is well worth persisting until you can get them right.

The words for 'him', 'her', 'it' and 'them' are the same as the four words for 'the'.
 le **him** or **it** (masculine words)   *l'* **him**, **her** or **it** (before a vowel)
 la **her** or **it** (feminine words)   *les* **them** (people or things)

Le and *la* are always *l'* in the perfect tense because all parts of *avoir* begin with a vowel. If the *l'* refers to a feminine thing or person, remember to add *e* to the past participle. This does not affect the pronunciation except with past participles ending in -*s* or -*t*:
 Vous avez vu Hélène ce matin? Oui, je l'ai vue.
 Vous avez mis la lettre à la poste? Oui, je l'ai mise à la poste.

These words always go before the *avoir* part of the perfect tense. If you wanted to say 'no' to the above questions, the answers would be:
 Non, je ne l'ai pas vue.
 Non, je ne l'ai pas mise à la poste.

Here is a complete example of all parts of a verb with *l'* in it – in this case the *l'* means 'him' or 'it'.

je l'ai vu	je ne l'ai pas vu
tu l'as vu	tu ne l'as pas vu
il l'a vu	il ne l'a pas vu
elle l'a vu	elle ne l'a pas vu
nous l'avons vu	nous ne l'avons pas vu
vous l'avez vu	vous ne l'avez pas vu
ils l'ont vu	ils ne l'ont pas vu
elles l'ont vu	elles ne l'ont pas vu

Now for *les* 'them'. If you are talking about masculine things or people, add *s* to the past participle unless it already ends in *s* like *mis* (*mettre*) or *pris* (*prendre*). Adding an *s* to the past participle does not change its pronunciation.

— *Tu as trouvé tes souliers?*
— *Oui je les ai trouvés.*

— *Il a vu les livres?*
— *Non il ne les a pas vus.*

If the *les* refers to feminine things or people, add *es* to the past participle. Again this only affects the pronunciation of past participles ending in -*s* or -*t*.

— *Henri, tu as rangé les chaises?*
— *Oui, je les ai rangées.*

Here is a complete example of all parts of a verb with *les* in it. In this case the *les* refers to a masculine 'them'.

je les ai trouvés	je ne les ai pas trouvés
tu les as trouvés	tu ne les as pas trouvés
il les a trouvés	il ne les a pas trouvés
elle les a trouvés	elle ne les a pas trouvés
nous les avons trouvés	nous ne les avons pas trouvés
vous les avez trouvés	vous ne les avez pas trouvés
ils les ont trouvés	ils ne les ont pas trouvés
elles les ont trouvés	elles ne les ont pas trouvés

Exercise 1

Modèle: Tu as vu Jean-Paul?
          Oui, je l'ai vu.
          Non, je ne l'ai pas vu.

Remember to add *e* to the past participle if the *l'* refers to something or someone feminine:

1. Tu as entendu la musique?
2. Tu as rempli le panier?
3. Tu as reçu ma lettre?
4. Tu as lu le journal?
5. Tu as mangé ton pain?

Exercise 2

Modèle: Colette a trouvé ses livres?
          Oui, elle les a trouvés.
          Non, elle ne les a pas trouvés.

Remember to add *s* to the past participle if the *les* is masculine, *es* if it is feminine.

1. Hélène a choisi les gâteaux?
2. Henri a perdu ses crayons?
3. Nicole a pris les pommes?
4. Les filles ont attendu les garçons?
5. Les garçons ont cherché les filles?

Une soirée à la maison

Une soirée à la maison
1. A quatre heures et demie Sylvie a fini ses cours(m).
2. Elle a retrouvé ses amies, Mireille et Françoise, dans le corridor.
3. A cinq heures moins le quart elle a pris l'autobus(m) pour rentrer chez elle.
4. Elle a mangé une tartine dans la cuisine.
5. Elle a porté sa tasse de café à sa chambre.
6. Elle a posé tous ses livres(m) et ses cahiers(m) sur son bureau.
7. Elle a écouté son transistor pendant un quart d'heure
8. et elle a bu lentement son café.
9. Puis, à cinq heures et demie, elle a commencé ses devoirs(m).
10. Elle a fait ses devoirs pendant deux heures.
11. Puis, elle a remis toutes ses affaires(f) dans sa serviette.
12. Après le dîner, elle a regardé la télévision pendant une heure avec ses parents avant
    d'aller se coucher.

Questions

Look carefully at the picture story *Une soirée à la maison*, then write answers to the
following questions. Your answers must begin with either *Elle l'a . . .* or *Elle les a . . .*
To help you to get your past participles right, we have put (m) or (f) after some words
when it is not obvious whether they are masculine or feminine.
1. A quelle heure est-ce que Sylvie a fini ses cours?
2. Où est-ce qu'elle a retrouvé ses amies?

3. A quelle heure est-ce qu'elle a pris l'autobus?
4. Où est-ce qu'elle a mangé sa tartine?
5. Où est-ce qu'elle a porté sa tasse de café?
6. Où est-ce qu'elle a posé ses livres et ses cahiers?
7. Pendant combien de temps est-ce qu'elle a écouté son transistor?
8. Comment est-ce qu'elle a bu son café?
9. A quelle heure est-ce qu'elle a commencé ses devoirs?
10. Pendant combien de temps est-ce qu'elle a fait ses devoirs?
11. Où est-ce qu'elle a remis toutes ses affaires?
12. Pendant combien de temps est-ce qu'elle a regardé la télévision?

Unit 14
Me, you, us

Learn the following examples:

Il t'a engueulé, Henri? Did he tell you off, Henry?
Oui, il m'a engueulé. Yes, he told me off.

Il t'a engueulée, Jeannine?
Oui, il m'a engueulée.

The second time the question is addressed to a girl so an extra *e* is required.

Ils vous ont battus? Did they beat you?
Oui, ils nous ont battus. Yes, they beat us.

Here the 'you' and 'us' refers to men or boys. If it were a girls' or women's match we were talking about, it would be:

Ils vous ont batitues?
Oui, ils nous ont battues.

The extra *e* does not affect the pronunciation.

So, great care is needed with the written form of the past participle. Always check who you are referring to in cases like this. *Vous* is the most variable of these as it can refer to one man, one woman, several men or several women:

Je vous ai entendu, Monsieur.   *Je vous ai entendue, Madame.*
Je vous ai entendus, Messieurs.   *Je vous ai entendues, Mesdames.*

Exercise 1

Answer these questions with *oui* as your first word then with *non*. Use *m'* in your answers:

1. Il t'a écouté, Henri?
2. Elle t'a vue, Jeannine?
3. Il t'a battu, Jean-Paul?
4. Ils t'ont trouvée, Hélène?
5. Ils t'ont attendu, Pierre?

Exercise 2

Deal similarly with these questions, this time using *nous* in your answers:

1. Il vous a cherchés?
2. Ils vous ont battus?
3. On vous a entendus?
4. Ils vous ont suivies?
5. Ils vous ont aidées?

In numbers 4 and 5 of this last exercise the *vous* refers to girls. How can you tell?

Exercise 3

dèle   1.   2.   3.   4.   5.

a) *Modèle:*
   Où est-ce qu'il t'a retrouvé?
   Il m'a retrouvé à la gare.
1. Où est-ce qu'il t'a retrouvé?
2. Où est-ce qu'il t'a envoyé?
3. Où est-ce qu'il t'a vu?
4. Où est-ce qu'il t'a cherché?
5. Où est-ce qu'il t'a attendu?

b) *Modèle:*
   Où est-ce qu'il vous a retrouvés?
   Il nous a retrouvés à la gare.
1. Où est-ce qu'il vous a quittés?
2. Où est-ce qu'elle vous a rencontrés?
3. Où est-ce qu'elle vous a trouvés?
4. Où est-ce qu'ils vous ont emmenés?
5. Où est-ce qu'elles vous ont vus?

Unit 15
To me, to us, to you

For these the French use the same words as for 'me', 'us', and 'you':
   Il t'a écrit, Hélène? Did he write to you, Helen?
   Oui, il m'a écrit hier. Yes, he wrote to me yesterday.

   Il vous a parlé, vous autres? Did he speak to you?
   Oui, il nous a parlé ce matin. Yes, he spoke to us this morning.

The past participle does **not** change with *me, te, vous* and *nous* when they mean '**to** me', '**to** you', '**to** you' and '**to** us'.

Sometimes it is not obvious in English when we mean 'to me', etc. because we don't always put in the word 'to'. We can say:
   He gave the book **to us**.
   He gave **us** the book.

The past participle is only affected by a **direct** object coming **before** the verb. To find the direct object in the previous sentence we ask ourselves:

What did he give?

Answer: the book

and to find the **indirect** object we ask:

Who did he give it to?

Answer: to us

So in the French:

Il nous a donné le livre.

Nous is an **indirect object** and cannot affect the past participle.

Compare this with:

Il nous a entendus.

He heard us.

Who did he hear? Answer: us.

So, in this case, *entendus* 'agrees' with *nous*.

The difficulty we have been discussing arises with several verbs. Here are four of the most common ones:

Il nous a donné 10 francs. He gave us 10 francs.

Il nous a envoyé une carte postale. He sent us a post-card.

Il nous a dit de partir. He told us to leave.

Il nous a prêté sa tente. He lent us his tent.

Exercise 1

Modèle: Jean t'a écrit?

Oùi, il m'a écrit.

Non, il ne m'a pas écrit.

1. Jean t'a parlé?
2. Hélène t'a dit bonjour?
3. Henri t'a demandé de rester ici?
4. Les enfants t'ont dit la vérité?
5. Sylvie t'a téléphoné?

Exercise 2

Modèle: Jean vous a écrit?

Oui, il nous a écrit.

Non, il ne nous a pas écrit.

1. Jean vous a répondu?
2. Claudette vous a parlé?
3. Vos parents vous ont permis de sortir?
4. Pierre vous a dit au revoir?
5. Anne-Marie vous a téléphoné?

Remember that if you want to reply **yes** in French to a question which contains *ne ... pas, ne ... rien, ne ... jamais*, etc. you use *si* not *oui*.

Exercise 3

Modèle:
Et papa? Il ne t'a rien donné?
Mais si, il m'a donné un appareil.

1. Et Hélène? Elle ne t'a rien envoyé?

2. Et Pierre? Il ne t'a rien offert?

3. Et Jean? Il ne t'a rien apporté?

4. Et maman? Elle ne t'a rien acheté?

5. Et tes parents? Ils ne t'ont rien prêté?

Exercise 4

Now look at the picture story on the next two pages.

POINTS TO NOTE

1. *Te* or *t'* can only be used when addressing someone known well:
   Mais je t'ai envoyé une carte postale, maman. Tu ne l'as pas reçue?

2. *Vous* can be the subject of the verb:
   Vous avez bu mon café! You've drunk my coffee!
   It can be the object too:
   Elle vous a téléphoné hier. She telephoned you yesterday.
   If you think about 'you' in English, you'll find it behaves the same way:
   You (**subject**) didn't see me but I saw you (**object**).
   Nous behaves the same way as *vous*:
   Nous avons rencontré Marc ce matin. We met Marc this morning.
   Ils nous ont donné vingt francs. They gave us twenty francs.
   Vous can mean 'you' (subject), 'you' (object) or 'to you'.
   Nous can mean 'we', 'us' or 'to us'.

3. In sentences like:
   Ils nous ont battus. OR *Il vous a parlé.*
   there is a temptation to make the verb agree with the *nous* or *vous*, thinking that they are subject pronouns and say, incorrectly:
   Ils nous avons battus. OR *Il vous avez parlé.*
   Remember that they can be objects too and, if they are, cannot govern the verb.

Une soirée agréable

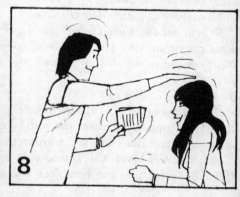

Une soirée agréable

1. Hier soir Pierre m'a téléphoné.
2. Il m'a demandé de l'aider à traduire une lettre de son correspondant anglais. Pierre n'est pas très fort en anglais.
3. Il m'a invitée à le rejoindre au café Central.
4. Il m'a attendue à la terrasse du café.
5. Il m'a acheté un café
6. puis il m'a montré la lettre
7. et il m'a posé beaucoup de questions.
8. Il m'a remerciée de mon aide.
9. Il m'a emmenée chez lui pour écouter des disques
10. puis il m'a préparé une omelette.
11. Il m'a prêté un de ses disques
12. et il m'a ramenée chez moi à neuf heures et demie.

Unit 16
To him, to her, to them

The words for these are not the same as the words for 'him', 'her' and 'them' (which, you will remember, are the same as the words for 'the').

lui to him
lui to her
leur to them

These words do not affect the past participle. Remember that the word 'to' does not always appear in English when it must be used in French.

Je lui ai dit de s'asseoir. I told him to sit down.

Il leur a demandé l'heure. He asked them the time.

Je lui ai téléphoné. I telephoned her.

Exercise 1

Modèle: Tu as parlé à Jean-Claude?
　　　　Oui, je lui ai déjà parlé.
1. Tu as téléphoné à Robert?
2. Tu as écrit à ta tante?
3. Tu as répondu à ton correspondant?
4. Tu as expliqué à ton père?
5. Tu as demandé à ta mère?

Exercise 2

Modèle: Il a parlé aux enfants?
　　　　Oui, il leur a déjà parlé.
1. Ils ont écrit aux Dubois?
2. Elle a téléphoné aux pompiers?
3. Vous avez expliqué à vos parents, vous autres?
4. Il a répondu à ses cousins?
5. Ils ont parlé aux agents?

Exercise 3

Go through Exercises 1 and 2 again, this time beginning with *non*. Remember that *ne* comes before *lui* and *leur*. Omit *déjà*.

Exercise 4

Modèle:
Qu'est-ce que vous
avez donné à Henri?
Je lui ai donné un
appareil.

1. Qu'est-ce que vous
avez servi à Michel?

2. Qu'est-ce que
Pierre a prêté à Sylvie?

3. Qu'est-ce que les
enfants ont offert à
leur père?

4. Qu'est-ce que
l'enfant a montré au
professeur?

5. Qu'est-ce que la
vendeuse a vendu à la
cliente?

Exercise 5

Modèle:
Qu'est-ce que vous
avez donné aux
enfants?
Je leur ai donné des
bananes.

1. Qu'est-ce que tu as
demandé à tes parents
pour ton anniversaire?

2. Qu'est-ce que vous
avez servi aux invités?

3. A quelle heure
avez-vous parlé aux
enfants?

4. Où avez-vous parlé
à vos amis?

5. Qu'est-ce que les
garçons ont donné aux
filles?

Remember that *lui* and *leur* can only be used for people or animals – not things.

Exercise 6

Turn back to *Une soirée agréable* in Exercise 4 of the previous unit and say what happened to Sylvie. When writing down what Pierre did, your sentences should contain *Il l'a* ... or *Il lui a* ...

To find out which one of these you should use, look at the past participle of the original sentence. If it has an extra *e*, it means that it is agreeing with a **direct object** so you would say, *Il l'a* ...:

Modèle: *Il m'a retrouvée au café.*

becomes

Il l'a retrouvée au café.

If the past participle doesn't have an extra *e*, you would do this:

Modèle: *Il m'a dit bonjour.*

becomes

Il lui a dit bonjour.

REVISION

Today is Sylvie's birthday and Pierre seems to have forgotten it. Sylvie and her friend, Mireille, are discussing the matter at morning break. Write out their conversation, filling in the gaps with object pronouns.

— Il a oublié ton anniversaire, Sylvie? Ce n'est pas possible.

— Mais si! Il ne ... a rien offert.

— Il ne ... a rien dit?

— Non plus.

— Mais il ... a envoyé une carte sans doute?

— Mais non! Rien je ... dis. Il ... a oublié.

— Tu ... as vu ce matin?

— Oui, je ... ai retrouvé devant la maison pour venir au collège. On a discuté comme on fait tous les matins, mais pas de cadeau.

— Tu ne ... as rien dit au sujet?

— Non, rien.

— Et il ... a emmenée au cinéma hier soir? C'est peut-être ton cadeau.

— Mais non, nous y allons tous les jeudis. Il ... a acheté des chocolats aussi, mais c'est normal ça quand nous allons au cinéma.

— Regarde, Sylvie, ... voilà qui arrive. Ces garçons! Ils ne ... prennent jamais au sérieux. Salut Pierre.

— Salut Mireille, salut Sylvie. Alors voilà ta carte Sylvie. Bon anniversaire! Et voilà ton cadeau. Tu peux ... ouvrir. Tu vois, je ne ... ai pas oublié.

— Oh! C'est un collier. Oh, Pierre! Mais pourquoi ne ... as-tu rien dit ce matin?

— Je voulais ... faire surprise ce soir mais je ne pouvais plus attendre. Tu ... pardonnes?

— Bien sûr que je ... pardonne, espèce d'idiot!

Unit 17
Verbs with two object pronouns

Quite often you will want to say things in French like 'I have sent it to him'. The two objects are 'it' and 'to him'. Or perhaps 'He lent them to us' where the two objects are 'them' and 'to us'.

When this happens you put the objects in this order:
1. *me te nous vous*
If one of these words is used, it **must** come first. No sentence can have two of them.

2. *le la l' les*
If one of these words is used, it comes **next** in order. No sentence can have two of these.

Here are some examples combining the two sets:
   Il me l'a envoyé. He has sent it to me.
   Il nous les a donnés. He has given them to us.
   Je vous l'ai prêté hier. I lent it to you yesterday.
You must still check the past participle. The second example has an *s* because of the *les*.

3. *lui leur*
If one of these words is used, it comes next in order. Here are some examples combining sets 2 and 3.
   Je les lui ai donnés. I gave them to him.
   Il la leur a vendue. He sold it to them.

4. *y en*
These two words *y* 'there' and *en* 'some', 'of it' or 'of them', can combine with those already mentioned. If they are used, then they come after all the others.
   Il m'en a offert. He offered me some.
   Je les y ai mis. I put them there.
Neither of them affect the past participle.

Here is a table showing the order in which these words occur if there is more than one of them in a sentence.

1	2	3	4	5
me	le	lui	y	en
te	la	leur		
nous	l'			
vous	les			

Exercise 1

Answer these questions, replacing the words in italic by *l'* or *les* and putting them in their correct position in the sentence. Make sure you know whether the underlined word is masculine or feminine because a feminine *l'* will affect the spelling of the past participle. So will *les*, whether masculine or feminine.

Remember too that *m'* and *t'* become *me* and *te* if the next word does not start with a vowel.

Modèle: Il t'a rendu *la tente?*
            Oui, il me l'a rendue hier.
1. Il t'a remis *le paquet?*
2. Il t'a donné *les valises?*
3. Il vous a raconté *l'histoire*, vous autres?
4. Il m'a déjà donné *le marteau?*
5. Il nous a prêté *ses disques?*

Exercise 2

This time, replace the words in italic by *lui* or *leur* and put them in their correct position. If there is an *l'* already in the sentence, it can become either *le* or *la* when not followed by a vowel – the ending of the past participle will tell you which one it will be.

If the question contains *ne ... pas*, use *si* as your first word:
Modèles: Et les cahiers? Tu les as passés *à Michel?*
            Oui, je les lui ai passés ce matin.

            Et l'argent? Tu l'as donné *aux enfants?*
            Oui, je le leur ai donné ce matin.
1. Et les paquets? Tu les as donnés *à Henri?*
2. Et ton vélo? Tu ne l'as pas vendu *à Hélène?*
3. Et ces disques? Tu les as empruntés *à Sylvie et Pierre?*
4. Et ma tente? Tu ne l'as pas prêtée *aux Dubois?*
5. Et la carte postale? Tu l'as envoyée *à ton correspondant?*

Exercise 3

Write out the answers to Exercises 1 and 2 again, this time using *non* as your first word. *Ne* will go before the object pronouns and *pas* after the present tense of *avoir:*
Modèles: Il t'a rendu *la tente?*
            Non, il ne me l'a pas rendue.

            Et les cahiers? Tu les as passés *à Michel?*
            Non, je ne les lui ai pas passés.

Exercise 4

Modèle:
Combien de bouteilles
lui a-t-il données?
Il lui en a donné
quatre.

1. Combien de lettres
lui a-t-elle écrites?

2. Combien de billets
lui as-tu demandés?

3. Combien de stylos
m'as-tu empruntés?

4. Combien de
disques m'as-tu
prêtés?

5. Combien de livres
leur a-t-il envoyés?

Exercise 5

Modèle: Tu as vu Hélène en ville?
　　　　Non, je ne l'y ai pas vue. (care with past participle)
1. Tu as vu Pierre au match?
2. Tu as vu mes parents au marché?
3. Tu as trouvé mes lunettes au salon?
4. Tu as emmené les enfants au cinéma?
5. Tu as mis le lait au réfrigérateur?

Section 3 Verb forms and tenses

Unit 18
The imperfect tense

USE

Up to now, you have been looking at and practising the perfect tense so that you can say what people **did** or **have done**. The imperfect tense is also a past tense but is never used for single actions. Many examination candidates confuse the two tenses but, if you think clearly, mistakes can be avoided. The imperfect tense is used in the following ways:

1. It is used to say what **was happening** in the past:

Elle travaillait dans la cuisine. She **was working** in the kitchen.

Ils écoutaient leurs disques. They **were listening** to their records.

2. It is also used to say what **used to happen**:

Généralement, il commençait à travailler à six heures et demie. Usually, he began to work at half past six.

We can also say 'he used to begin to work' or 'he would begin to work'.

3. It is used for situations in the past as well as actions:

Il avait un revolver à la main. He had a gun in his hand.

Je ne pouvais pas bouger. I couldn't move.

Elle voulait me voir. She wanted to see me.

Ils étaient fatigués. They were tired.

The perfect tense and the imperfect tense are often used together in the same sentence, the perfect tense for the **single action** and the imperfect filling in the **background information**:

Il pleuvait quand j'ai quitté la maison.

It was raining when I left the house.

Quand ils sont arrivés, ils avaient faim.

When they arrived, they were hungry.

FORM

Forming the imperfect tense is much easier than forming the perfect because you only need to know two things:

1. You need to know the **nous** part of the present tense of the verb you intend to use. If, for example, you want to say, 'I was drinking my coffee', in French you begin like this:

boire – nous buvons

2. You then need to know the endings to add to *buv* after you have removed *-ons*.

Here is the entire imperfect tense of *boire*:

je buvais	nous buvions
tu buvais	vous buviez
il buvait	ils buvaient
elle buvait	elles buvaient

So, 'I was drinking my coffee' is *je buvais mon café*.

POINTS TO NOTE

1. The imperfect tense of *être* is different to all of the others because the *nous* part of its present tense doesn't end in *-ons*. So if you want to say 'I was', 'we were' etc. here is what you must use:

j' étais	nous étions
tu étais	vous étiez
il) elle) était	ils) elles) étaient

But be careful! You must not use a part of *être* if you want to say someone **was doing** something:

He was tired. *Il était fatigué*.
BUT
He was **running**. *Il courait*.

2. A few verbs have *il* parts only. Here are the most important ones:
il pleuvait it was raining
il neigeait it was snowing
il fallait it was necessary
      OR
      I, we, you, etc. had to
The reason is, of course, that you would never need to say things like 'we were snowing' or 'you were raining'.

3. 'Was' or 'were' in English are usually expressed by the **imperfect** tense in French. Remember that they can be expressed in four different ways in French:
Elle était contente. She was happy.
Elle avait froid. She was cold.
Il faisait chaud. It was hot.
Il y avait beaucoup de monde. There were a lot of people.

4. The endings themselves must be carefully learnt. The most common mistake is to think that all of the endings start with *a*. The *nous* and *vous* endings do not. The endings which do begin with *a* all sound the same, rather like the *e* of *il est*, but many French people pronounce them like the *é* of *j'ai porté*.

5. You know now that you form the imperfect from the *nous* part of the present tense. This is quite easy to remember, but it is worth taking a closer look at it to make learning easier. In fact, you can form the imperfect from the infinitive for all except a dozen or so verbs because most *nous* parts are based on the infinitive anyway. *Nous allons* is obviously based on *aller* but *nous écrivons* is not based on *écrire*. Here is a list showing the imperfect tenses of the most important verbs. Those on the left are like the infinitive, those on the right show a change. Learn the right-hand list especially carefully.

LIKE THE INFINITIVE		NOT LIKE THE INFINITIVE	
je donnais	donner (**and all regular -er verbs**)	je finissais	finir (**and all regular -ir verbs**)
je vendais	vendre (**and all regular -re verbs**)	je buvais	boire
j'allais	aller	je conduisais	conduire
j'avais	avoir	je connaissais	connaître
je courais	courir	je paraissais	paraître
je devais	devoir	je croyais	croire
je dormais	dormir	j'écrivais	écrire
je mettais	mettre	je faisais	faire
j'ouvrais	ouvrir	je lisais	lire
je pouvais	pouvoir	je prenais	prendre
je recevais	recevoir	j'apprenais	apprendre
je riais	rire	je comprenais	comprendre
je savais	savoir	je voyais	voir
je suivais	suivre		
je tenais	tenir		
je venais	venir		
je revenais	revenir		
je devenais	devenir		
je voulais	vouloir		

6. Remember that verbs whose infinitives end in -*cer* or -*ger* have odd *nous* parts in the present tense:

nous commençons
nous nageons

They keep their extra cedilla accent or extra *e* before all but the *nous* and *vous* endings in the imperfect:

je commençais   nous commencions
il nageait   vous nagiez

7. Note this construction:

Il apprenait le français depuis deux ans.

He **had been** learning French for two years.

If you use the imperfect with *depuis* it has the meaning of **had done** or **had been doing** something and is used for actions that were still continuing. He had been learning French for two years – **and still was**.

Exercise 1

The imperfect tenses in this exercise can all be formed from the infinitive as well as the *nous* part. (Careful with *manger*!):

Que faisaient les enfants quand le professeur est entré?
Jean travaillait ...

Exercise 2

You must use the *nous* part of the present tense to form these verbs. Take care with the endings and make sure you know what the sentences mean:

Modèle: Je (boire) mon café quand on a frappé à la porte.
  Je buvais mon café quand on a frappé à la porte.

1. Henri (lire) son journal sur la terrasse.
2. Qu'est-ce que vous (faire) à onze heures hier soir?
3. Je (croire) que c'était Jean-Paul.
4. Nous (faire) nos devoirs quand Hélène est arrivée.
5. Ils (prendre) le même train que moi tous les jours.
6. Je lui ai parlé en anglais mais il ne (comprendre) pas.

7. Elle (conduire) trop vite et elle a heurté un arbre.
8. Ils (finir) leur travail quand je suis parti.
9. Hélène m'(écrire) toutes les semaines.
10. Nous (voir) le facteur à la même heure tous les matins.

Exercise 3

Answer these questions:
1. Où étiez-vous à trois heures hier?
2. Que faisiez-vous à onze heures et demie hier soir?
3. Quel âge aviez-vous en 1980?
4. Qu'est-ce que vous faisiez quand le professeur est entré dans la salle de classe?
5. Il pleuvait quand vous êtes parti de la maison ce matin?
6. A quelle heure vous couchiez-vous quand vous aviez cinq ans?
7. Où habitiez-vous en 1980?
8. Vous dormiez à huit heures hier soir?
9. Que faisait le professeur de français il y a dix minutes?
10. A quel âge saviez-vous lire?

Exercise 4

Write out this passage, filling in the gaps with the verbs supplied at the end. Remember to use the perfect tense verbs (list A below) for the single actions.

Un jour de neige

Hélène et Robert . . . froid. Ils . . . leurs manteaux et ils . . . dans la rue. Tout . . . blanc car il y . . . de la neige par terre et sur les toits des maisons. L'autobus . . . et les enfants . . . . Tous leurs copains y . . . déjà et tout le monde . . . de ce qu'ils . . . faire au cours de la journée. A huit heures vingt ils . . . devant l'école et ils . . . de l'autobus.

Dans la cour, quelques-uns . . . des boules de neige ou . . . des glissades tandis que d'autres, plus timides, . . . par petits groupes et . . . les gros flocons de neige qui . . . à tomber. A huit heures et demie, on . . . la sonnerie et tout le monde . . . vers la porte d'entrée. La journée . . . .

A. a entendu, sont descendus, est arrivé, sont arrivés, ont mis, sont montés, sont sortis, s'est dirigé

B. bavardaient, lançaient, avait, avaient, parlait, était, étaient, allaient, faisaient, recommençaient, regardaient, commençait

La fin d'une belle journée

Write a composition of about 100–120 words on the series of pictures opposite. Use both perfect and imperfect tenses. Here are some verbs and other words and expressions you might want to use.
1. a décidé d'aller   a sorti son vélomoteur
2. est allé chez   ont décidé de

3. sont montés   se sont dirigés vers
4. il faisait   il y avait   ils ont mangé
5. sont repartis vers ... heures. Il faisait
6. Soudain il a commencé à   étaient trempés jusqu'aux os   avaient froid.

Revising Units 2 and 3 might give you some ideas.

A suggested version of this composition appears in Reference section A, page 117.

La fin d'une belle journée

Unit 19
The pluperfect tense

USE

If you want to say what **had** happened, you use the imperfect of *avoir* or *être* with a past participle – like this:

Il avait disparu. He had disappeared.
Elle était partie. She had left.
Ils s'étaient déjà levés. They had already got up.

FORM

The same verbs which go with *être* in the perfect tense do so in the pluperfect and the same rules about agreement of past participles apply too. Here are the pluperfect tenses in full of an *avoir* verb, an *être* verb and a reflexive verb:

j'avais parlé	nous avions parlé
tu avais parlé	vous aviez parlé
il avait parlé	ils avaient parlé
elle avait parlé	elles avaient parlé
j'étais allé(e)	nous étions allé(e)s
tu étais allé(e)	vous étiez allé(e)(s)
il était allé	ils étaient allés
elle était allée	elles étaient allées
je m'étais levé(e)	nous nous étions levé(e)s
tu t'étais levé(e)	vous vous étiez levé(e)(s)
il s'était levé	ils s'étaient levés
elle s'était levée	elles s'étaient levées

Exercise 1

Modèles: Il a vu Hélène.
Il m'a dit qu'il avait vu Hélène.

Ils sont arrivés à huit heures.
Ils m'ont dit qu'ils étaient arrivés à huit heures.

1. Il a cherché son argent partout.
2. Elle a fini ses devoirs à dix heures.
3. Ils ont passé la matinée à faire des courses.
4. Il est parti avant Henri.
5. Elle est allée garer la voiture.
6. Elles sont venues me chercher.
7. Il s'est levé le premier.
8. Ils se sont bien amusés.

Exercise 2

The two halves of these sentences have been jumbled up. Join them up correctly.

1. Les bicyclettes n'étaient plus là   — on l'avait fermée à clef.
2. Danielle n'était pas chez elle   — ils avaient gagné le match.
3. Je me sentais vraiment malade   — on avait tout mangé.
4. Robert n'était plus au lit   — il avait oublié son argent.
5. Nous ne pouvions pas ouvrir la porte   — tu étais déjà entré sans doute.
6. Tout le monde avait l'air content   — ils avaient dû partir.
7. Il n'y avait rien au réfrigérateur   — il s'était levé de bonne heure.
8. Je ne voyais pas les enfants   — elle était déjà sortie.
9. Tu n'étais pas devant le cinéma   — elles avaient disparu.
10. Henri ne pouvait pas payer le repas   — j'avais trop mangé.

Exercise 3

Write out this passage, filling in the gaps. You will need two things to fill the gaps –
first, either *avait*, *était* or *s'était*, then one of the past participles listed at the end of the
passage.

Une journée inoubliable
Le jour de l'accident, Raymond ... ... à son heure habituelle, ... sa toilette et
... ... son petit déjeuner à la cuisine. Il ... ... de la maison à sept heures et
... ... dans sa voiture qu'il garait juste devant la maison. Il ... ... en route avec
précaution car, même à cette heure-là, les rues étaient assez encombrées. Il ... ...
chercher son ami, Henri, dans la rue à côté puis il ... ... au coin pour acheter un
journal. Il ... ... le journal à Henri et ... ... à rouler lentement vers Paris.

donné, levé, fait, monté, allé, mis, commencé, mangé, sorti, arrêté

Exercise 4

Using the pluperfect tense, try to continue the story begun in Exercise 3. Use about six
sentences.

Unit 20
The present tense

USE

This is the only tense which is used more than the perfect tense in spoken French and it is equally important in examinations for the following reasons:

1. Most CSE boards allow you to use the present tense to write your compositions – although you are more likely to achieve a good grade using past tenses.

2. Even if you write your story in past tenses you will need to use the present tense when you make your characters speak.

3. Those of you who have a letter to write as part of your examination will almost certainly need to use the present tense.

FORM

There is a lot of ground to cover to learn the present tense of all the most useful verbs, as they vary a great deal, but methodical learning and revision will make you confident enough to use them properly and accurately.

One of the main obstacles to the correct use of the French present tense is our tendency to try to make it as simple as the English present tense. Here is the present tense of the English verb 'to work':

I work	we work
you work	they work
he works	
she works	

Most English verbs are like this. A French student learning English, for example, only has to remember that for most English verbs you add an 's' when you say what 'he' and 'she' does. Here is the French equivalent, the present tense of *travailler*:

je travaille	nous travaillons
tu travailles	vous travaillez
il travaille	ils travaillent
elle travaille	elles travaillent

Not only are there two more persons as the French have two 'you's' and two 'they's', but there are five different endings compared with the English two, so endings need to be carefully thought about.

English also has what is called a **continuous present tense** which uses two words:
　　He **is eating** his breakfast.
The French does not have the equivalent of this, so 'he eats' and 'he is eating' are both *il mange*.

Reference section B, pages 123 to 126, sets out the present tenses of the most useful verbs. You must now learn them, methodically, a few at a time and do some simple exercises to make sure that you have learnt them properly. The exercise numbers correspond to the section to be learnt. Learn the appropriate section **before** doing the exercise and do not consult it again until you have finished.

Exercise 1

-er verbs:
Modèle: Je (monter) dans la voiture.
       Je monte dans la voiture.
1. Tu (travailler) bien.
2. Ils (aimer) danser.
3. Nous (chercher) nos parents.
4. Je lui (téléphoner) tous les jours.
5. Vous (regarder) la télévision tous les soirs?
6. Les enfants n'(écouter) jamais la radio.
7. A quelle heure (rentrer)-t-elle?
8. Henri (parler) très vite.

Exercise 2

1. J'(acheter) tous mes légumes ici.
2. Il (lever) la main.
3. Je l'(emmener) à la gare.
4. Nous (acheter) des glaces.
5. Elle m'(envoyer) des cadeaux.
6. Ils (appeler) la police.
7. Henri (jeter) la balle.
8. Va-t'en, tu m'(ennuyer).
9. Nous (nager) tous les jours.
10. Nous (remplacer) les sacs là.

Exercise 3

Learn the next section and fill the gaps in this exercise by using the appropriate verb with the correct ending:
1. Ils ... des fleurs au jardin.
2. Il ... sa voiture quand il pleut.
3. Elle m' ... un beau cadeau chaque Noël.
4. Il fait chaud, j' ... la fenêtre.
5. Elle est très malade mais elle ne ... pas beaucoup.

Exercise 4

Learn the section on reflexive -*er* verbs then fill in the gaps in the following sentences, using the correct part of the appropriate verb:
1. Je n'ai rien à faire, je ...
2. Papa ... – il est fatigué.
3. Il ne ... pas, il est barbu.
4. Tu ... avec tes amis?
5. Ils sont en retard. Ils ne ... jamais.
6. Je ... Henri Gautier.
7. Il ... dans la salle de bains, puis il ... dans sa chambre.
8. Nous ... à 7 heures tous les matins.

Exercise 5

1. Ils (finir) leurs devoirs vers sept heures.
2. Pierre (grossir). Il mange trop.
3. Henri (choisir) toujours le plus grand morceau.
4. Tu (réussir) toujours à tes examens.
5. Le professeur me (punir) presque tous les jours.
6. Nous (rougir) quand nous sommes embarrassés.
7. La fermière (remplir) le panier d'œufs.
8. Les policiers (saisir) le voleur et l'emmènent au commissariat.

Exercise 6

Use the correct part of the appropriate verb to fill in the gaps in these sentences. The infinitives of the verbs you will need are listed at the end of the exercise.
1. Je vous ... devant le cinéma.
2. Il ... toutes sortes de choses dans sa boutique.
3. Vous ... cette musique?
4. Tu ne ... jamais à mes questions!
5. Robert! ... vite. Ton déjeuner est prêt.
6. Ces garçons ... toujours leurs cahiers.
7. Il ne ... jamais ce qu'il a emprunté.
8. Nous ... avec de jeunes Français.

vendre, répondre, descendre, correspondre, perdre, attendre, rendre, entendre

Exercise 7

Write out the sentences below, filling in the gaps with the correct part of the present tense of *avoir* or *être*:
1. Nous ... une grande maison qui ... située près de la mer.
2. Je ... blond et j'... les yeux bleus.
3. Mes sœurs ... jumelles et ... 10 ans.
4. Nous ... en vacances en ce moment – nous en ... huit semaines.
5. Vous ... fatigué? Vous ... faim?

Exercise 8

Do the same with these sentences, this time using the present tense of *aller* or *faire*:
1. Qu'est-ce que vous ...?
   Je ne ... rien.
2. Où ...-vous?
   Je ... au café.
3. Nous ne ... pas grand-chose vers la fin du trimestre.
4. Il ... beau, Papa ... nous emmener au bord de la mer.
5. Ce soir les enfants ... leurs devoirs puis ils ... au cinéma.

Exercise 9

Modèle: Pierre ne veut pas manger avec nous?
   Si, il veut bien, mais il ne peut pas.
   Il doit partir.
1. Les enfants ne veulent pas jouer avec toi?
2. Tu ne veux pas regarder la télé ici, toi?
3. Vous ne voulez pas jouer au tennis, vous autres?
4. Hélène ne veut pas se baigner avec nous?

Exercise 10

Modèle: Il croit que c'est Hélène là-bas?
   Oui, il croit bien, mais il ne sait pas au juste. Il ne voit pas très clair.
1. Tu crois que c'est Jean-Paul là-bas?
2. Vous croyez que c'est Henri qui s'approche, vous autres?
3. Ils croient que c'est papa dans le bateau?
4. Hélène croit que c'est maman qui arrive là?

Exercise 11

Modèle: Tu m'étonnes!
   Tu dis que tu ne lis jamais les journaux et que tu n'écris jamais de lettres!
1. Henri m'étonne!
2. Ces enfants m'étonnent!
3. Vous m'étonnez!

Exercise 12

1. Imbécile! Vous ... les valises dans la boue!
2. Je me ... en route à 6 heures demain matin.
3. Ils ... le français depuis trois ans et ils ne ... toujours rien!
4. Je ... le car devant la gare.
5. Elle ... toujours le même chapeau.
6. Nous te ... de sortir si tu ... de rentrer avant 11 heures.

Exercise 13

Modèle: Henri (sortir)
Henri sort de la maison à huit heures.

1. Nous (sortir)   2. Je (partir)

3. Les enfants (sortir)   4. Papa (sortir)

5. Le train (partir)   6. Vous (partir)

Exercise 14

Modèle: Qu'est-ce que tu prends, toi?
Rien, je ne bois jamais quand je conduis.
1. Et ton ami, qu'est-ce qu'il prend?
2. Et vous autres?
3. Et tes parents?

Exercise 15

connaître, reconnaître:
Modèle: Il reconnaît cette femme?
Non, il ne la connaît pas.
1. Tu reconnais cet homme?
2. Vos enfants reconnaissent ces garçons?
3. Vous reconnaissez ce village?
4. Votre ami me reconnaît?

Exercise 16

A.

Modèle:
Il (venir)
Il vient à l'école en autobus.

1. Tu (venir)   2. Nous (revenir) de

3. Je (venir)   4. Les enfants (revenir) à

B. Fill in the gaps with the correct part of the appropriate verb:

1. Elle ... grande.
2. Il ... toujours au coin.
3. Qu'est-ce que la boîte ...?
4. Je ne ... pas où il habite.

Unit 21
The imperative

USE

When you write a composition, it is likely that you will make the characters in the story talk. People have many reasons for talking to one another but one of the main reasons is to ask – or tell – someone to do something. Think about your own conversations with your friends and you will see that you constantly ask or tell them to do things. 'Lend me a pen', 'Pass me the water', 'Be careful!', 'Go away!', 'Come here!', 'Leave me alone', 'Give me a sweet'. These are all examples of the **imperative** – orders or requests.

For your compositions then – particularly in the story type of composition which is so often set in examinations – it is useful to know how to make your characters give orders or ask people to do things.

FORM

In English, when you say something like 'Help me', you mean '**You** help me' so you use the part of the verb which goes with 'you'. The same thing happens in French except that in French there are two words for 'you'. For most verbs, people use the *tu* part of the present tense to give orders to someone they know well, the **vous** part to people they don't know well or to more than one person:
   Bois ton lait. Drink your milk.
   Mettez les valises là-bas. Put the cases over there.

POINTS TO NOTE

1. When using the *tu* parts of -*er* verbs and *aller* drop the *s* from the spelling:
Cherche tes livres. Look for your books.
Va trouver Henri. Go and find Henry.
(But *vas-y!* go on!)

2. Reflexive verbs:
lève-toi!)
levez-vous!) get up!   *ne te lève pas!*)
                              ne vous levez pas!) don't get up!

3. *être* and *avoir*:
sois sage be good
soyez prudent be careful

n'aie pas peur) don't be afraid
n'ayez pas peur)

4. Object pronouns go **after** the verb:

arretez-le! stop him!

but **before** in the negative:

ne l'arrêtez pas don't stop him

Me becomes *moi* after the verb:

écrivez-moi write to me

ne m'écrivez pas don't write to me

5. *S'en aller* to go away:

va-t-en!) go away!
allez-vous-en!)

ne t'en va pas!) don't go away!
ne vous en allez pas!)

6. How to say 'let's' do something:

partons let's leave

asseyons-nous let's sit down

Just use the *nous* part of the verb for most verbs, add *-nous* for reflexive verbs.

Exercise 1

Modèle:
Qu'est-ce que
j'achète?
Achète des pommes.

1. Qu'est-ce que
je cherche?

2. Qu'est-ce que
je mange?

3. Qu'est-ce que
j'apporte?

4. Qu'est-ce que
je prends?

5. Qu'est-ce que
je mets?

Exercise 2

Modèle: Nous payons les billets?
Oui, payez-les.
Non, ne les payez pas.

1. Nous cherchons Henri?
2. Nous mettons les provisions sur la table?
3. Nous fermons la porte?
4. Nous vendons ce piano?
5. Nous finissons ces sandwichs?

Exercise 3

Modèle: Je peux m'asseoir?
          Oui, assieds-toi.
          Non, ne t'assieds pas encore.

1. Je peux me laver?
2. Je peux me reposer?
3. Je peux me lever?
4. Je peux me servir?
5. Je peux m'en aller?

Exercise 4

The two halves of these sentences have been jumbled up. Join them up correctly:

1. Amusez-vous bien	près de moi
2. Dépêchez-vous,	tu m'énerves.
3. Asseyez-vous	au bal.
4. Mangeons quelque chose,	le train part!
5. Sois prudent,	pour acheter une glace.
6. N'ayez pas peur,	je suis fatigué, moi.
7. Buvons quelque chose,	il n'y a pas de danger.
8. Arrêtons-nous	j'ai soif, moi.
9. Va-t-en, Henri,	c'est dangereux.
10. Reposons-nous,	j'ai faim, moi.

Unit 22
Talking about the future

USE

In compositions you will often want to make people say what they **will** do at some time in the future. Stating your future intentions forms a large part of letters, too. So, it is important that you should know how to write about the future, as it is a skill you can definitely make use of in your examination, whether you are writing a composition or a letter.

FORM

There are three ways of dealing with future time in French:

1. When using some verbs – especially verbs concerning movement – the French often use the present tense like we do:

Tu pars demain? Are you leaving tomorrow?

Elle arrive lundi. She's arriving on Monday.

Je sors ce soir. I am going out this evening.

2. The French often say what they **are going** to do just as we do in English. They use the **present tense** of *aller* 'to go' followed by an **infinitive**:

Je vais travailler maintenant. I'm going to work now.

Tu vas partir? Are you going to leave?

Il va rester ici. He's going to stay here.

Nous allons le chercher. We're going to look for him.

Vous allez m'aider? Are you going to help me?

Ils vont prendre le train. They are going to catch the train.

If the infinitive is a **reflexive verb**, the reflexive pronoun must be changed:

*Je vais **me** lever.*	I'm going to get up.
*Tu vas **te** reposer.*	You are going to lie down.
Il va s'habiller.	He's going to get dressed.
*Nous allons **nous** baigner.*	We're going to go swimming.
*Vous allez **vous** laver.*	You're going to get washed.
Ils vont s'asseoir.	They're going to sit down.

3. When the French want to say what they **will do**, they use the actual future tense which, for most verbs, is formed by adding the present tense endings of *avoir* to the infinitive of the verb – like this:

je trouver**ai**	nous trouver**ons**
tu trouver**as**	vous trouver**ez**
il) trouver**a** elle)	ils) trouver**ont** elles)

All regular -er verbs follow the above pattern. Here are a few more examples:

Nous resterons ici. We shall stay here.

OR

We'll stay here.

Ils regarderont la télévision. They'll watch television.

Je travaillerai ce soir. I'll work this evening.

Most verbs whose infinitives end in -ir behave in the same way as -er verbs:

Je partirai demain. I'll leave tomorrow.

Il dormira bientôt. He'll sleep soon.

Ils finiront vers cinq heures. They'll finish about five o'clock.

All verbs whose infinitives end in -re except être and faire drop the last e from the infinitive and then add the endings:

Je vous attendrai ici. I'll wait for you here.

IRREGULAR FUTURES

The verbs in the list below are not based on the infinitive of the verb but do have the regular endings, as in *trouver* above. Most of them are arranged in similar pairs to make learning easier:

je serai	I will be	*j'irai*	I will go
je ferai	I will do	*je m'assiérai*	I will sit down
j'aurai	I will have	*il faudra*	it will be necessary
je saurai	I will know	*il vaudra mieux*	it will be better to
je verrai	I will see	*je courrai*	I will run
j'enverrai	I will send	*je pourrai*	I will be able
je devrai	I will have to	*je mourrai*	I will die
je recevrai	I will receive		
je (re)viendrai	I will come (back)		
je tiendrai	I will hold		

Those -*er* verbs which show a peculiarity in the present tense (see Reference section B, page 123) keep that peculiarity for all parts of the future:

je jetterai I'll throw	*j'essaierai* I'll try
j'appellerai I'll call	*je me lèverai* I'll get up
je nettoierai I'll clean	*j'achèterai* I'll buy

An exception to the above rule is verbs like *répéter* 'to repeat' and *espérer* 'to hope', which have *é* before the ending. This becomes *è* for every part except *nous* and *vous* in the present tense, but they keep *é* for the future:

je répète I repeat
je répéterai I will repeat

Exercise 1

Fill in the gaps in these sentences with the appropriate future tense from the infinitives listed at the end:

1. On se ... plus tard.
2. Restez là, j' ... le chercher.
3. Que ...-tu demain?
4. Je ... à six heures.
5. Tu m' ... une carte postale?
6. Je ne ... pas sortir ce soir, je ... travailler.
7. Pierre ... 17 ans en septembre.
8. Dépêchez-vous, autrement vous ... en retard.
9. Nous ... demain matin.
10. Ils ... les légumes au marché.

partir, acheter, avoir, être, revenir, envoyer, revoir, faire, pouvoir, devoir, aller

Exercise 2

Modèle:
Comment est-ce que la vieille dame arrivera?
Elle arrivera par le train.

1. Comment est-ce
que Pierre ira à la gare?

2. Comment est-ce
que les enfants
reviendront de l'école?

3. Comment est-ce
que tu iras à Paris?

4. Comment est-ce
que Sylvie rentrera?

5. A quelle heure
est-ce qu'elle rentrera?

6. Où seras-tu à
six heures?

7. Que feront les
garçons samedi?

8. Que fera Henri
demain?

Exercise 3

Modèle: Henri travaillera ce soir.
    Henri va travailler ce soir.
1. Sylvie sera en retard.
2. Nous partirons de bonne heure.
3. Je reviendrai à quatre heures.
4. Les enfants achèteront de la viande.
5. Je boirai du café.
6. Tu verras Pierre?
7. J'irai les trouver.
8. Il se lèvera avant moi.
9. Nous essaierons de vous voir.
10. Je m'assiérai là-bas.

When the French are talking about **future** time, they usually use the future tense –
especially after a 'time' expression like *quand* 'when' or *aussitôt que* 'as soon as'.
Note the following:

    Quand je le verrai, je lui donnerai l'argent. When I see him, I'll give him the money.
    Aussitôt que tu finiras, viens me voir. As soon as you finish, come and see me.

In fact the French are saying 'when I **will** see him', 'as soon as you **will** finish'.

But if they are using *si* 'if', a **present** tense follows:

    *Si je le **vois**, je lui donnerai l'argent.*
    *Si tu **finis**, viens me voir.*

Now do the next exercise which is based on what you have just read.

Exercise 4

Modèles: Quand je (trouver) l'argent, je vous le (donner).
               Quand je trouverai l'argent, je vous le donnerai.

               Si nous (voir) Henri, nous lui (dire) de rentrer.
               Si nous voyons Henri, nous lui dirons de rentrer.
1. Quand tu te (lever), tu (déjeuner) tout de suite.
2. Si nous (revenir) les premiers, nous (faire) du café.
3. Quand François (revenir) du lycée, il (aller) faire les courses.
4. Aussitôt que je (être) libre, j'(essayer) de vous téléphoner.
5. Si vous (avoir) vingt francs, vous (pouvoir) acheter ce joli vase.

REVISION

Fill in the gaps in the table below. Only use references if you are completely stuck.

HIER	AUJOURD'HUI	DEMAIN
je n'ai rien fait	je ne fais rien	je ne ferai rien
. . . .	je reviens à une heure	. . . .
nous avons vu Pierre	. . . .	. . . .
. . . .	. . . .	j'irai chez Jean
. . . .	ils rentrent tôt	. . . .
j'ai pu sortir	. . . .	. . . .
. . . .	. . . .	il sera ici
. . . .	elle attend longtemps	. . . .
tu es sorti le premier	. . . .	. . . .
. . . .	. . . .	elles se lèveront tard
. . . .	je me repose	. . . .

Unit 23
The conditional tense

USE

When the French want to say what they **would do**, they use the **conditional** tense. You are less likely to use the conditional tense in compositions or letters than the other tenses you have so far studied, but there are some useful expressions which do use it.

First, some examples of its use in letters:

Je serais bien content si... I should be most grateful if ...
Je voudrais bien te visiter. I should very much like to visit you.
Mon ami aimerait bien faire votre connaissance. My friend would love to meet you.
Comment irais-je de St. Malo à Dinard? How would I get from St. Malo to Dinard?

In compositions, the conditional is really only likely to come up when the characters are speaking – saying what they **would do** to solve a problem perhaps, or offering suggestions:

Il vaudrait mieux rester ici. It would be better to stay here.
Je prendrais le train, ce serait plus vite. I would catch the train, it would be quicker.

You can use **reported speech** – saying what people said they **would do** in both letters and compositions:

Papa a dit qu'il m'achèterait une moto quand il aurait assez d'argent. Father said that he would buy me a motor bike when he had (= would have) enough money.

Il a promis qu'il reviendrait à 11 heures. He promised he would come back at 11.00. We can miss out the word 'that' after 'said that' etc. but the French do not drop *que*.

The conditional tense is often used in a sentence which begins with *si* 'if', but the verb immediately following *si* is in the **imperfect**:

Si j'avais plus d'argent, j'irais en France. If I had more money, I would go to France. Note how the conditional tenses of *pouvoir* and *devoir* are used:

Pourrais-tu venir me voir? **Could** you come and see me?
Je devrais aller travailler. I **ought** to go and work.
                              OR
                              I **should** go and work.

Now turn the page to find out the **Form** of the conditional tense.

FORM

The conditional tense is formed by combining two of the tenses you have already studied in this section. First you take away the endings from a verb in the future tense, like this:

je ferai
je fer-

If you now replace the future tense endings by **imperfect** tense endings you have the conditional tense.

je fer**ais**	nous fer**ions**
tu fer**ais**	vous fer**iez**
il)	ils)
elle) fer**ait**	elles) fer**aient**

'I would do', 'you would do' ... and so on.

Exercise 1

The two halves of these sentences are jumbled up. Join them up to make sense.

1. S'il était moins paresseux   elle se lèverait de bonne heure.
2. S'il était plus âgé,   vous arriveriez à l'heure.
3. Si elle se couchait tôt,   ce serait plus rapide.
4. Si elle mangeait moins   il pourrait aller à la piscine tout seul.
5. Si vous sortiez à l'heure   nous irions ensemble au cinéma.
6. Si tu prenais le train   nous lui donnerions son livre.
7. Si tu pouvais sortir   ils seraient les premiers.
8. Si j'étais riche,   il aurait de bonnes notes.
9. Si nous voyions Hélène   j'achèterais une voiture sport.
10. S'ils arrivaient à midi,   elle serait moins grosse.

Exercise 2

Deux clochards parlent de ce qu'ils feraient s'ils étaient riches.
Two tramps are talking about what they would do if they were rich. Write out their conversation, filling in the gaps with the correct part of the conditional tense of one of the verbs whose infinitives are listed at the end.

— Eh bien, moi, André, si je gagnais le gros lot à la Loterie Nationale, la première chose que je ... ... d'aller chez un tailleur. Là, j' ... un beau complet et beaucoup d'autres vêtements. Puis j' ... dans un beau restaurant et je ... le plus grand repas de ma vie. Après, je ... le premier train pour le Midi et je ... un mois sur les plages et dans les casinos.
— Et tu n' ... plus d'argent! Tu n'es pas prudent, toi. Tu sais ce que je ..., moi. Je ... la moitié de l'argent à la banque puis j' ... un petit restaurant dans un quartier chic et je ... respecté et riche.
— Alors moi, je ne ... jamais chez toi car je connais tes habitudes!

acheter, faire (2), être (2), manger (2), avoir, mettre, prendre, passer, ouvrir, aller

Section 4   Ways and means

Unit 24
More about asking questions

In Unit 3 we have already looked at how to ask questions in the perfect tense but, in letter writing and compositions, you need to ask questions in other tenses too – particularly the present tense – so the technique of asking questions is worth a closer look.

Most questions involve the personal pronouns *je, tu, il, elle*, etc. so we shall deal with that type of question first. As you saw in Unit 3, there are three ways of asking a question in French if no 'question word' (*qui? quand? où?*, etc.) is used:

1. You can leave the question in statement form but say it in a questioning way or add a question mark if you are writing it:

Vous sortez ce soir? Are you going out tonight?

Tu le connais? Do you know him?

2. A few English verbs **turn round** to form questions:

You are English. Are you English?

We must leave. Must we leave?

He can take it. Can he take it?

But most don't do this. We can't say 'Go you to school?' or 'Leaves she at six o'clock?'. We say 'Do you go . . .?' and 'Does she leave . . .?' or 'Are you going . . .?' and 'Is she leaving . . .?'

In French most verbs can be turned round to form questions:

Vas-tu au lycée?

Part-elle à six heures?

We must put in a hyphen or *-t-* if vowels meet e.g. *parle-t-il?*

If *je* is involved in the question, only a few verbs turn round:

Suis-je plus grand que Jean? Am I taller than Jean?

Ai-je tout? Have I got everything?

Puis-je sortir? Can I go out?

or with *que?* 'what?':

Que vais-je faire? What am I going to do?

Que sais-je? What do I know about it?

The rest do not turn round. It is not often that you need to ask questions about yourself. When you do, you usually ask 'Shall I . . .?' or 'Do I . . .?' in English.

In French you can either leave the statement and say it in a questioning way:

Je reste ici? Shall I stay here?

or use *est-ce que?*:

Est-ce que je paie ici? Do I pay here?

3. *Est-ce que* is the most widely used way of asking questions and the easiest to remember. Putting *est-ce que* in front of any statement turns that statement into a question:

> *Il est fatigué.* He's tired.
> *Est-ce qu'il est fatigué?* Is he tired?

USING QUESTION WORDS

If you want to start a question with *que? qui? quand? où? pourquoi? comment?* or any other **interrogative pronoun** (as such question words are called) you can only use methods 2 and 3.

> *Quand partez-vous?* OR *Quand est-ce que vous partez?* When are you leaving?

QUESTIONS WITHOUT PERSONAL PRONOUNS

If you are asking a question which does not involve one of the personal pronouns (*je, tu* etc.) you can phrase it in several ways. If no question word is involved you can leave it as a statement:

> *Le docteur vient aujourd'hui?* Is the doctor coming today?

or you can use *est-ce que*:

> *Est-ce que le docteur vient aujourd'hui?*

But you must not turn verb and subject around – you can't say:

> *Vient le docteur aujourd'hui?*

If question words are used, combine them with *est-ce que* as this is the easiest way:

> *Quand est-ce que le train part?* When does the train leave?

The 'turn round' method can be used too if a question word comes first:

> *Quand part le train?* When does the train leave?
> *Où habite ton ami?* Where does your friend live?

This sounds rather complicated so it has been put in table form below. As you will see in the table, *est-ce que* can be used to form any question, so always use it if you are uncertain about how to phrase a question.

ASKING QUESTIONS IN OTHER TENSES

The examples given so far in this unit are in the present tense only but all the points made apply to the other tenses too, as you will see by the examples used in the table.

QUESTIONS TABLE

1. *je, tu, il, elle, nous, vous, ils, elles*	
a) turning round *parle-t-il français?* *où vas-tu?* *quand partira-t-elle?* *qu'avez-vous trouvé?*	Can be used with or without a question word like *quand? où?* etc. Only suitable for *ai-je? suis-je? puis-je?* Use *est-ce que* for other *je* parts.

b) *est-ce que . . .?*	Can be used for all parts with or
est-ce qu'il parle français?	without words like *quand? où?* etc.
où est-ce que tu vas?	
quand est-ce qu'elle partira?	
qu'est-ce que vous avez trouvé?	
c) leaving as a statement	Common in conversation.
tu pars?	Cannot be used with *quand? où?* etc.
elle reste ici?	
vous l'avez trouvé?	
2. People and things	
a) leaving as a statement	Cannot be used with *quand? où?* etc.
Jean arrive demain?	
Le train part bientôt?	
b) *est-ce que . . .?*	Can be used either with or without
quand est-ce que le docteur arrive?	*quand? où?* etc.
pourquoi est-ce que le train ne part pas?	

WHAT?

One of the commonest ways of starting a question in English is with the word 'what'?
In French there are no fewer than four ways of asking questions which in English
would be introduced by 'what?'
1. *Qu'est-ce qui se passe?* What's happening?
The word for 'what?' is the **subject** of the verb.
2. *Que fais-tu?* What are you doing?
The word for 'what' is the **object** of the verb. (*Tu* is the subject)
3. *Qu'est-ce que tu fais?* What are you doing?
Que is combined with *est-ce que*. The expression for 'what?' is the **object** of the verb.
4. *Quel stylo a-t-il choisi?* What (or which) pen has he chosen?

Exercise 1

Make up questions which would give these answers. Use any method you like:
1. Oui, je veux danser.
2. Je cherche mon pantalon.
3. Non, je n'aime pas le vin.
4. Il partira demain matin.
5. Il va travailler.
6. Les enfants? Ils sont là-bas.
7. Les leçons commencent à neuf heures.
8. Non, elle ne regarde pas la télé. Elle travaille.
9. Ils sont à l'école.
10. Non, je ne l'ai pas vu.

Exercise 2

Write a short letter to your French penfriend. You must ask him/her for the following information:

His/her age; is he/she tall or small, fair or dark? Does he/she have brothers/sisters? What do his/her parents do? Does he/she live near the sea? Does he/she like pop music? Where is he/she going on holiday this year? Can he/she send a photograph with the reply – and any other questions you can think of. Remember to use *est-ce que* if in doubt.

fair *blond(e)*	on holiday *en vacances*
dark *brun(e)*	this year *cette année*
near the sea *près de la mer*	a photograph *une photo*
pop music *le pop*	the reply *la réponse*

Unit 25
Reporting speech

When writing a composition, you often use **direct speech**. This means that you will have to use such phrases as *il a dit* 'he said', and *elle a répondu* 'she replied'.

If you put these expressions **before** what is said there is no problem:

Il a demandé, 'Qu'est-ce qui se passe?' He asked, 'What's happening?'

Il dit, 'C'est moi qui paie.' He says, 'It's me who's paying.'

But, more usually, these expressions come **after** the words spoken. When they do, **inversion** takes place – the words turn round.

'Qu'est-ce qui se passe?' a-t-il demandé.

'C'est moi qui paie' dit-il.

If there are any **object pronouns** they go where they would normally go – **before** the verb.

'Que fais-tu?' **lui** *a-t-elle demandé.* 'What are you doing?' she asked him.

'Je vais partir', **m**'a-t-il dit. 'I'm going to leave', he told me.

Exercise 1

Modèle: Il demande, 'Que fais-tu?'
    'Que fais-tu?' demande-t-il.

1. Elle me demande, 'Quelle heure est-il?'
2. Elle a crié, 'Au secours!'
3. Elle s'est exclamée, 'Mon Dieu!'
4. Il répond, 'Oui, c'est vrai.'
5. Ils crient, 'Reviens! reviens!'
6. Il a dit, 'Ce n'est pas mon affaire.'
7. Elle lui a promis, 'Je reviendrai.'
8. Il continue, 'Tu ne dis pas la verité.'
9. Elle m'a demandé, 'Que voulez-vous?'
10. J'ai répondu, 'Je partirai ce soir.'

Exercise 2

Write out this passage, filling the gaps with expressions of the type you have been reading about in this unit.

Le retour
Je suis entré dans la petite boutique au coin. Rien n'y avait changé. La même jolie fille était derrière le comptoir.
'Mademoiselle', ...
'Oui, ..., me regardant avec curiosité.
'Donnez-moi des allumettes, s'il vous plaît', ...
'Oui, bien sûr', ..., se retournant vers l'étagère.
'C'est combien, Yvette?' ....
'Mon Dieu!' .... 'Je ne t'avais pas reconnu! C'est bien toi, Charles?'
'Oui, c'est moi-même', ... 'je n'avais pas de barbe quand je suis parti.'
'Ça fait combien de temps que tu es parti?' ....
'Cinq longues années', ... 'mais, c'est fini, je ne repartirai jamais'.

Unit 26
Conversation

One of your main aims in writing French for exam purposes is to be accurate. This means that you have to keep things reasonably simple, but without letting your writing become dull and lifeless. One of the easiest ways of making a composition more lively is to let your characters speak, using natural conversation which you know to be correct French. Reference section C on page 127 gives examples of the kind of speech which can be useful in composition work – learn them carefully and try to use other phrases learnt from your reading.

Here is an example of indirect speech being made direct:
   Pierre a demandé à sa mère s'il pouvait sortir. Elle a répondu que non.
   'Maman, est-ce que je peux sortir?' a demandé Pierre.
   'Non, tu ne peux pas', a-t-elle répondu.
Try to deal with the following sentences in the same way.

Exercise 1

1. Alain a dit à sa mère qu'il avait faim. Elle lui a demandé s'il voulait manger une tartine.
2. Annique a proposé à Raoul d'aller au cinéma mais il a refusé car il avait trop de devoirs.
3. Henri a demandé à Sylvie où elle allait. Elle a répondu qu'elle allait voir Robert.
4. Jeanne a trouvé un billet de dix francs dans la rue. Elle a expliqué à sa mère où elle l'avait trouvé.
5. Jean-Pierre a demandé à Robert ce qu'il avait acheté avec son argent de poche. Robert a dit qu'il avait acheté un disque.

Now here are three situations described using **indirect** speech – the words the characters use are not actually given, only reported. Write out the conversations which you think took place.

Situation 1

Samedi matin, Gaston est rentré à la maison au volant d'une vieille 2cv. Sa mère, étonnée, lui a demandé où il l'avait achetée. Gaston lui a dit qu'il l'avait achetée à son ami Robert au prix intéressant de 400 francs seulement. Sa mère voulait savoir comment il avait pu verser une telle somme. Gaston a répondu qu'il avait économisé 200 francs et qu'il avait vendu sa vieille mobylette à 200 francs.

Situation 2

En route pour l'école, Henri a rencontré son copain Raymond marchant d'un pas résolu vers le centre de la ville au lieu de vers l'école.

Henri lui a demandé s'il n'allait pas à l'école et Raymond lui a répondu que non, qu'il avait marre de l'école et qu'il allait prendre un autobus pour aller passer la journée au bord de la mer.

Henri a hésité un instant puis il a dit qu'il avait les mêmes sentiments et qu'il allait accompagner Raymond.

Situation 3

Monsieur Larroque était assis dans sa voiture devant le supermarché attendant sa femme. Soudain il a entendu un fracas et a vu deux hommes voler des montres et des bagues de la bijouterie en face. Ils ont pris la fuite dans une Peugeot noire.

Les policiers sont arrivés et ont posé des questions à Monsieur Larroque.

Exercise 2

Here is a story which has no conversation in it. Rewrite it to include conversation.

Un employé rusé

Jeudi dernier, à dix heures précises, Monsieur Chardet, seul employé de la petite banque de Gourdan, a souri gentiment à son premier client du jour et lui a demandé ce qu'il voulait. Le 'client' a répondu que M. Chardet lui obligerait en mettant tout l'argent de son tiroir dans un sac. Ensuite, le bandit a saisi le sac et a dit à M. Chardet de lever les mains en l'air et de se retourner pour faire face au mur. Le revolver qu'il tenait à la main droite a encouragé M. Chardet à obéir bien vite.

Mais, soudain, l'employé a eu une idée. Il a dit au bandit qu'il avait déjà appuyé sur une sonnette d'alarme au plancher avec son pied et que la police serait déjà en route pour la banque. Le bandit, fou de rage, a demandé s'il y avait une autre sortie et M. Chardet a indiqué la porte ouverte derrière lui. Le bandit est sorti par la porte.

Vite, M. Chardet a fermé la lourde porte à clef et a téléphoné à la police en leur disant qu'il avait un bandit dans la chambre forte (strong room).

Suggested solutions appear in Reference section A on pages 117 and 118.

Unit 27
Linking and continuity

To keep a story moving along, we use **adverbs** to link phrases together – or **adverbial phrases** as these linking expressions are known if they consist of more than one word. For example, in English 'next' is an adverb, 'a few minutes later' is an adverbial phrase. Most of the adverbs or adverbial phrases used in compositions are to do with time or manner. Learn the following lists carefully:

TIME

d'abord first (of all)
ensuite next
puis then
enfin finally
bientôt soon
peu après soon afterwards
un peu plus tard a little later
une heure plus tard an hour later
tout de suite immediately
soudain suddenly
au bout de deux heures after two hours
une fois dans la rue as soon as I was in the street
en rentrant chez moi as I was on my way home
comme il passait devant ... as he was passing ...
pendant quelque temps for a while

MANNER

aussi vite que possible as fast as possible
à toute vitesse as fast as possible
à toutes jambes as fast as ... could run
avec mille précautions very carefully
sans hésiter without hesitating
sans plus attendre without waiting a second longer
sans mot dire without saying a word
vite quickly
lentement slowly

OTHERS

malheureusement unfortunately
heureusement fortunately
vraiment really
alors so

Exercise 1

Rewrite this story using as many of the above words and phrases as you can to make it move along – and any others you can think of:

Un garçon courageux
Jean-Paul s'ennuyait. Il ne savait jamais que faire le samedi matin. Il est monté à sa chambre et a lu son livre. Il est descendu à la cuisine pour parler avec sa mère.
   'Qu'est-ce qu'il y a?' a-t-elle demandé. 'Tu t'ennuies?'
   'Oui, je m'ennuie.' a répondu Jean-Paul. 'Je n'ai rien à faire et tous mes copains sont en vacances. Je vais sortir.'
   Il a quitté la maison et est allé se promener au bord de la rivière. Il a entendu un cri, 'Au secours!' Il a vu une petite fille à l'eau. Il a plongé dans l'eau et a ramené l'enfant à terre firme.
   La mère de l'enfant l'a remercié, très reconnaissante. Jean-Paul est rentré chez lui, très fier de lui-même.

There are other useful lists of words and phrases in Reference section C on page 127.

LINKING IN LETTERS

When you are writing letters it is useful to have at your disposal a list of **time phrases** for saying what you have done, are doing or will do. Learn this list carefully:

la semaine dernière last week

l'année dernière last year

hier yesterday

avant-hier the day before yesterday

il y a trois jours three days ago

maintenant now

en ce moment at the moment

à présent just now

aujourd'hui today

dans trois jours in three days

demain tomorrow

après-demain the day after tomorrow

la semaine prochaine next week

l'année prochaine next year

Letter

Write a short letter to your penfriend. It must contain the following information:
    You received his/her letter three days ago; you are on holiday just now; last week you saw a good film; tomorrow you are going to see your uncle who lives at the seaside. You hope that next year your penfriend will come to visit you; and anything else you can think of.

BEFORE AND AFTER

One of the most frequently used ways of linking in composition work is the use of the words *avant* and *après*.

In French, if these are used before a noun or a time, there is no problem:
    avant six heures before six o'clock
    après son départ after his departure (after he left)
    après mon arrivée after my arrival (after I arrived)
    avant la sortie de l'école before school came out
The words *départ*, *arrivée*, *sortie* and one or two others like *rentrée*, 'return' can be used instead of a verb in French.

If, however, you want to use *avant* or *après* with a verb then you have to be quite careful.
1. If you are using *avant* with a verb, you put the verb into the infinitive and put *de* before it.
    avant de partir before leaving
    avant de se lever before getting up
As no person is mentioned, expressions like this can be used for any person. *Avant de partir* for example could mean 'before I left', 'before he left', 'before you left' and so on. So:
    Avant de partir, j'ai fait mes valises. Before I left, I packed my cases.

With **reflexive verbs**, you have to be more careful as you have to change the **reflexive pronoun** depending on who you are talking about:
    Avant de me lever, j'ai lu mon livre pendant quelque temps.

Before   getting up,)
         I got up,   ) I read my book for a while.

Avant de nous laver, nous avons fait nos lits.

Before　we got washed,）　we made our beds.
　　　　getting washed,）

. When using *après* to say or write the French for 'after doing' something, always
emember to say 'after having done':

Après avoir fini mes devoirs, je suis sorti.

After　doing）　my homework, I went out.
　　　I did　）

f the verb is one which 'goes with' *être*:

Après être sortie, Hélène a fermé la porte à clef.

After　going out　　）　Helen locked the door.
　　　she went out）

f it is a **reflexive verb**, again you must remember to vary the reflexive pronoun:

Après m'être levé, j'ai lu le journal.

After　getting up）　I read the paper.
　　　I got up　）

Again, like the expressions with *avant* you can use these for any person – as long as you
ake care with the reflexive pronouns of reflexive verbs.

Exercise 1

Here are two sets of parallel actions. Say two things about each set.

Henri

Modèle:

a) Avant de se brosser les dents, Henri s'est rasé.
b) Après s'être rasé, Henri s'est brossé les dents.

1.

je

2.

les enfants

3.

Raymond

4.

nous

5.

Sylvie

Unit 28
Pitfalls

In the compositions of some candidates for the CSE and GCE O level examinations, the same mistakes appear year after year. Here are some of the areas where the mistakes occur most frequently. Learn how to avoid them.

1. The infinitive

Some students, searching for the correct form of a particular verb in their compositions, give in and merely use an infinitive – particularly those writing their composition in the present tense. Examiners often find infinitives used anywhere and anyhow. Students who do this get no credit for it.

You can, of course, use the infinitive in a number of ways. As well as being the 'title' of a verb, e.g. *partir*, 'to leave', *vendre*, 'to sell' and so on, it can be used in the following situations:

a) Following another verb – sometimes linked by *à* or *de*:

Maman, je veux partir.
Il a oublié de téléphoner.
Je commençais à travailler.

b) Following *à*, *de*, *pour*, *sans*, *par* and other **prepositions**, as they are called:

Pourquoi vas-tu en ville?
Pour faire des achats.
Il a commencé par commander du vin.
Sans hésiter il a plongé à l'eau.

You cannot put an infinitive straight after a subject pronoun (je, tu, il etc.) or any other subject.

2. Some expressions with *avoir, être* and *faire*

A great many widely-used expressions often cause confusion in composition-writing. Learn the following:

a) *j'ai* ... I am ...

j'ai (*faim*	I'm (hungry		*j'ai* (*raison*	I'm (right	
(*soif*	(thirsty		(*tort*	(wrong	
(*froid*	(cold				
(*chaud*	(hot				
(*peur*	(afraid				
(*sommeil*	(tired				
(*honte*	(ashamed				
(*16 ans*	(16 years old				

These expressions can, of course, be used with other persons and in other tenses.

No other important words go with *avoir* like this. Mistakes are quite common but by learning the above list by heart, you can avoid making them.

This use of *avoir* only happens when **people** are concerned:
Michel avait froid. Michel was cold.
BUT
L'eau était froide. The water was cold.

b) Weather
When you are talking about the weather and your first word is *il*, you use *faire*:

Il faisait (*beau*
(*chaud*
(*froid*
(*mauvais*
(*du vent*
(*du brouillard*
(*du soleil*

But if you start with the word *le temps* use *être*:
Le temps était magnifique.
BUT
Il faisait un temps magnifique.

c) *Il y a/il y avait*
Il y a du monde ce soir. There are a lot of people tonight.
Il y avait une voiture neuve devant la porte. There was a new car outside the door.

3. Contractions
Here are some simple rules which often get forgotten in composition-writing:

à + le = au	*Ils sont allés au café.*
à + les = aux	*J'ai téléphoné aux pompiers.*
de + le = du	*La banque est au centre du village.*
de + les = des	*C'est l'argent des enfants.*

These contractions do not take place if the next word is the infinitive of a **verb** instead of a **noun**:

*Elle a refusé de le **voir**.* She refused to see him.
*Elle a essayé de les **acheter**.* She tried to buy them.
*Il a commencé à le **lire**.* He began to read it.
*Elle m'a invité à les **examiner**.* She invited me to examine them.

4. *Laisser/quitter/partir/sortir*

The verb 'to leave' can be dealt with in several different ways in French. Here are the most important ones:

a) *Laisser*

J'ai laissé mes gants dans le train.

laisser is usually used in the sense of leaving something behind but you also hear:

Alors, je vous laisse. Well, I'll leave you now.

b) *Quitter*

Henri a quitté le café.
Hélène a quitté l'école à l'âge de 16 ans.

Quitter can be used both for leaving in the movement sense and for leaving an establishment or job. It **must** have an object. You cannot say *Il a quitté* for 'he has left'. If there is no object you use *partir*.

If *partir* has an **object**, you must put *de* first:

*Il est parti **de** la gare à huit heures.*

c) *Partir*

You can use *partir* without an object:

Où est Yves?
Il est parti.

d) *Sortir*

Il est sorti de la pièce. He left the room.

If you want to say that someone left a room – i.e. went out of the room, you use *sortir*, which also needs *de* before the object. Like *partir* it can be used without an object.

Où est Hélène?
Elle est sortie. She has gone out. OR She's out.

5. *c'est/il est*

Many students get confused between *c'est* and *il est* and often decide to use one or the other all the time when they want to put the French for 'it is'. *Il est* is usually the most popular, probably because *il* looks like 'it'. Learn these rules and you will get it right every time:

Use *c'est*

a) With nouns:

Qu'est-ce que c'est, là-bas?
C'est un oiseau. (bird)

Qui est-ce?
C'est Jean-Claude.

C'est can often mean 'he is' or 'she is' too:

C'est un Canadien.

C'est un docteur.

C'est mon cousin.

C'est un idiot.

C'est le maire du village.

b) With adjectives:

C'est possible, probable, magnifique, etc.

c) With 'strong' pronouns:

C'est moi, toi, lui, elle, nous, vous BUT *ce sont eux, elles*

Use *il est*

a) In certain set expressions:

Il est six heures.

Il est tard. It's late.

b) *Il* means 'it' with *faire* too sometimes:

Il fait beau etc.

Il se fait tard. It's getting late.

c) When you are referring to a thing you already know about and you know whether it is masculine or feminine:

Où est mon stylo? Il est là-bas sur la table.

Of course, you would use *elle* for feminine things:

Ma voiture est prête? Oui, elle est prête, monsieur.

The same rules apply to *il est/c'est, il était/c'était* and *il sera/ce sera.*

REVISION

Write out this passage, supplying the missing words from the list at the end.

Le tour

... le dernier jour ... trimestre et il ... très chaud. Pierre et Henri avaient décidé de ... un tour ... professeur d'anglais. Pierre avait demandé à Sylvie de ... une grosse araignée en laine noire et ils l'avaient fixée ... plafond de la salle de classe au moyen d'une ficelle. En tirant sur la ficelle on pouvait la ...   ...ou .... Elle serait juste ... dessus de la tête ... professeur.

'Tu ... peur, toi?' a demandé Pierre avant l'entrée de Monsieur Jourdain.

'Mais non, ... de risque', a dit Henri 'ce ... marrant, hein?'

... cours de la leçon, Pierre a essayé de faire ... l'araignée, mais malheureusement il a lâché la ficelle et l'araignée est tombée sur la tête ... professeur.

'... vous qui avez fait ça?' a-t-il demandé ... deux garçons. 'Vous n' ... pas honte, non? Alors vous ... cette classe, vous ... ce jouet ici et vous vous présenterez ... bureau ... proviseur pour lui ... ce que vous avez fait.

faire (3), jouer, expliquer, monter, descendre (2), au (5), aux, du (4), as, sera, c'est, il n'y a pas, avez, c'était, faisait, laisserez, quitterez

Unit 29
More about pronouns and adjectives

In the course of learning French you meet a lot of personal pronouns and
adjectives. Confusion can easily arise because many of them have more than one
use and others are similar in appearance.

Below is a table of the most important personal pronouns and adjectives followed
by an explanation of each type.

SUBJECT PRONOUNS	DIRECT OBJECT PRONOUNS	INDIRECT OBJECT PRONOUNS	STRONG PRONOUNS	REFLEXIVE PRONOUNS	POSSESSIVE ADJECTIVES M F PL
je I	*me (moi)* me	*me (moi)* to me	*moi* me	*me*	*mon ma mes* my
tu you (fam)	*te* you (fam)	*te* to you (fam)	*toi* you (fam)	*te toi)*	*ton ta tes* your (fam)
il he	*le* him	*lui* to him	*lui* him	*se*	*son sa ses* his
elle she	*la* her	*lui* to her	*elle* her	*se*	*son sa ses* her
nous we	*nous* us	*nous* to us	*nous* us	*nous*	*notre nos* our
vous you (polite/plural)	*vous* you (polite/plural)	*vous* to you (polite/plural)	*vous* you (polite/plural)	*vous*	*votre vos* your (polite/plural)
ils they (m)	*les* them (m)	*leur* to them (m)	*eux* them (m)	*se*	*leur leurs* their (m)
elles they (f)	*les* them (f)	*leur* to them (f)	*elles* them (f)	*se*	*leur leurs* their (f)

SUBJECT PRONOUNS

There should be no problem here. These are the words which 'trigger off' verbs and
decide how a verb will be said or spelt:

    Je vais le chercher. I'm going to look for him.

Je triggers off *vais*.

DIRECT OBJECT PRONOUNS

You have already studied how to use these with the perfect tense in Units 13 and 14. You have already seen that they go **before** the verb they belong to. Here are some examples of them in use:

Il me déteste. He hates me.

Elle veut nous voir. She wants to see us.

Il les a invités à dîner avec lui. He has invited them to have dinner with him.

As you saw in Unit 21, if you are giving orders, the object pronouns come **after** the verb and *me* becomes *moi*:

Aidez-moi. Help me.

Lâchez-le. Let him go.

But remember that if you are giving orders **not** to do something, the object pronouns come **before** the verb.

Ne m'aidez pas. Don't help me.

Ne le lâchez pas. Don't let him go.

INDIRECT OBJECT PRONOUNS

You have studied how to use these with the perfect tense in Units 15 and 16. The same rules about position in the sentence apply to them. Here are some examples.

Ecrivez-moi bientôt. Write to me soon.

Je vais lui parler. I'm going to talk to him.

Notice how much duplication there is, both from the previous column – *me, te, nous* and *vous* remain unchanged – and in this one where *lui* means both 'to him' and 'to her'.

Here are two tables to remind you of their order when two of these direct or indirect object pronouns occur in the same sentence.

1. In an ordinary sentence (or giving negative orders)

1	2	3	4
me te nous vous	le la l' les	lui leur	VERB

2. When giving orders to do something

1	2	3
VERB	le la les	moi nous lui leur

STRONG PRONOUNS

The subject and object pronouns are **weak pronouns** because they cannot exist without a verb to lean on. **Strong pronouns** exist without verbs.

a) on their own
   Qui a fait ça?
   Lui.

b) after prepositions
   avec moi, pour eux, derrière toi, devant elle, après nous, sans moi etc.

c) with *même*
   moi-même myself
   eux-mêmes themselves

d) comparing
   Il est plus grand que toi.

e) after *c'est* and *ce sont*
   c'est moi
   ce sont eux

f) *A qui est ce stylo?*   Whose is this pen?
   A moi.   Mine.
   Ce livre est à toi?   Is this book yours?
   Non, c'est à lui.   No, it's his.

REFLEXIVE PRONOUNS

The **reflexive pronouns** are simply the ones used next to subject pronouns in reflexive verbs.
   *Je **me** lève à sept heures.*
   *Nous **nous** sommes baignés hier.*
There is a *toi* in brackets because *te* becomes *toi* after the verb in orders:
   lève-toi
   BUT
   *ne **te** lève pas*
Reflexive verbs are dealt with in more detail in Unit 12.

POSSESSIVE ADJECTIVES

The main thing to remember about French possessive adjectives is that the one you use is decided not by the owner but by **the thing owned.** People often make the mistake of thinking, for example, that a boy should always use *mon* and a girl *ma*. In fact both would use *mon* for masculine things or people, *ma* for feminine things or people and *mes* if you are talking about more than one thing or person.

PEOPLE	THINGS
mon père	*mon stylo*
ma mère	*ma gomme*
mes parents	*mes livres*

'His' and 'her' seem to pose most problems. The temptation is to use _son_ for 'his' and _sa_ for 'her'. In fact _son_, _sa_ and _ses_ all mean 'his' **or** 'her'. It is the thing possessed which determines which one you must use:

> _son fils_ his **or** her son
> _sa fille_ his **or** her daughter
> _ses enfants_ his **or** her children

It is a common mistake to put _ses_ for 'their'. 'Their' is _leur_ if you are talking about one thing, _leurs_ if you are talking about more than one thing or person:

> _leur fils_   _leurs enfants_

REVISION

Write out the following conversation, filling in the gaps with personal pronouns and possessive adjectives from the table on page 98.

Conversation matinale

— Henri, lève- ..., il est sept heures.
— Je ... suis levé, maman, je ... lave.
— Alors, dépêche-..., ... petit déjeuner est prêt.
— ... voici. Je ... mangerai tout à l'heure, où as-tu mis ... chaussures?
— ... voilà, je viens de ... nettoyer. Tu retrouves ... copains ce matin?
— Oui, je ... ai dit de ... attendre dans la place.
— Tu n'oublieras pas le cadeau pour ... père.
— Comment?
— Tu ... rappelles? C'est ... anniversaire demain. Tu vas ... donner un cadeau au moins? C'est normal.
— Eh, oui, bien sûr, je ... avais oublié. J'achèterai du tabac pour .... Robert et Hélène sont déjà partis?
— Mais oui, ils ... sont levés dix minutes avant ... et ils ont préparé ... petit déjeuner ...-mêmes.
— Alors, je ... en vais. Passe-... mon cartable, veux-tu?
— Tiens. Amuse- ... bien. A ce soir.

Section 5 The day of the examination

Unit 30
General advice

CSE and GCE exams in different parts of the country contain a variety of ways of testing your ability to write in French but most of you will have at least one of the following to do:
1. A composition based on a set of pictures.
2. A composition based on an outline, an introduction or a set of instructions.
3. A letter.
We shall examine the techniques needed for each of these later but, before we do that, here are some general points which apply to all writing in French:

1. Your attitude
On the day of the exam, your attitude is most important. You may be surprised to learn that your interest, or lack of it, shows through in what you write. If your attitude is 'Let's get this over with as soon as possible' it shows and the result, as often as not, is pretty bad – and certainly offputting for the examiner. Lack of enthusiasm comes out as an unimaginative composition or letter, often far too short and looking as if it had been translated word for word from English. Such work earns few marks.

Also, many candidates who do try quite hard are far too cautious. Many people try to write compositions or letters with the sole aim of making as few mistakes as possible. Obviously, if your French is not particularly good, you must limit your aims to what you know you can do, but this doesn't mean writing in chopped little sentences which sound wooden and unnatural. When you are revising for the exam, write down and memorise useful phrases from work your teacher has already corrected and try to work some of them into your exam. Copy out the corrected versions of pieces of work you have done badly, then try to do them from memory – writing down good French is the best way of being able to remember it later. Your work must be as close to natural French as you can make it.

Those of you whose French is reasonably good can be more ambitious. Look on the composition or letter as an enjoyable challenge and the result will not only be more interesting for the examiner to read but, properly done, will earn you more marks. What you need is a little 'panache' – a word used in both French and English which means 'style' or 'flair'. You can achieve this by the correct use of good, stylish French phrases from your reading and particularly by using lively, natural conversation if you are writing a composition. If you are making up your own story, try to give it a 'twist' at the end and make it lively. If you are writing a letter, make it chatty and conversational in tone if it is supposed to be to someone you know well. So, be positive, be enthusiastic, take care and work hard for the whole of the time available.

2. Organisation

Whichever type of test you are doing, you will have to spend some time on organisation and planning. People who are good at French can often do their planning in their heads and, after a little thought, begin writing straight away, letting the details come as they go on.

Most people, however, need to be more precise than this. If you have to make up a story or fill in details you can do that in your head but most of you will need to put down a rough outline on paper once you know what you are going to write about. It is much better if your rough work is written in French. Some people make the mistake of doing written planning in English and trying to put it into French. This is a dangerous thing to do and can lead you into serious problems. You must remember that your ability to express yourself in French just cannot match the range of your English. It is inevitable that you will think initially in English but, all the same, never try to do English to French translation for a composition or letter.

The actual way you plan is partly up to you and partly depends on which type of test you are doing. We'll look more closely at planning when we examine each type of test later, but one thing you must keep in mind for all planning is not to take too long over it. Most of you will have less than an hour to produce the finished version, unless you have more than one to do, so limit your planning time accordingly. As a rough guide, you shouldn't spend more than a quarter of the time available on planning.

Some people prefer to do the whole composition or letter in rough then use the last ten minutes to copy it out neatly. The advantage of this method is that the finished version is neat and shouldn't contain any crossings-out or alterations, but many people doing it this way find themselves short of time at the end as they are spending a lot of the available time merely copying. Also, they may make mistakes in copying out that were not there in the first place.

3. Presentation

No matter how careful your planning is or how good your ideas are, you are judged on the finished product, so take care with it.

Write neatly and carefully making sure that every word is clearly legible.
Make sure that all the correct accents are on.
Check carefully through your work, paying particular attention to spelling and agreements. Make sure that adjectives agree with their nouns and that verbs have the correct endings.

Above all, make sure that the work you hand in is the best you can possibly manage. Mistakes lose marks.

Each of the following four units is about one of the main kinds of test.

Unit 31
Picture composition

A picture composition is a composition made up on the basis of a series of pictures. Many CSE and GCE boards set this kind of composition. The number of pictures varies, but is usually between four and six.

The story is told for you in the pictures so you don't have to make it up, but planning is still very necessary before you can start to do the final version of your composition.

Here are two compositions of this type taken step by step, from planning to completion.

Picture composition 1

Write a story in French of about 120 words based on the set of pictures below.

une galerie a roof-rack
un clochard a tramp

1. Read the instructions carefully. The instructions for this composition do not state that you have to use past tenses, so you could use the present tense. If you can manage past tenses, however – and you should be able to if you have used this book properly – do so, because you will get more credit for them.

2. Take two or three minutes to look carefully through the pictures. Have a look at all the details and let a few ideas form in your mind about some of the expressions you could use.

3. Begin your written planning. People like to plan things in their own way, but here are some suggestions you might find useful.

a) Note down what happened picture by picture, using the perfect tense. Leave space to add other expressions. So you start like this:

Picture 1
Les Dubois ont décidé d'aller ...
Tout le monde est monté dans la voiture ...
M. Dubois a mis le pique-nique ...

Picture 2
Ils se sont mis en route ...
le panier est tombé ...
les Dubois n'ont rien vu ...

Picture 3
Deux clochards ont trouvé le panier ...
Ils l'ont ouvert ...

Picture 4
Ils se sont assis ...
Ils ont mangé ...
Ils se sont bien amusés ...

b) Think about some background information and note down a few expressions using the imperfect tense. For example:

Picture 1 *Comme il faisait beau* ...

Picture 2 *Tout le monde était content* ...

Picture 3 *Deux clochards qui passaient* ...

Picture 4 *Ils avaient très faim* ...

c) Try to work in some conversation. For example:

Picture 3
'Jules!' a crié Jacques, 'regarde-moi ça!'
'Ah oui!' a répondu Jules, 'quelle chance!'

d) Think of some linking words and phrases. For example:
Bientôt ils étaient ...   *Cinq minutes plus tard* ...   *Sans hésiter* ...

e) You will probably only have time actually to note down the first stages of your planning – the perfect tenses – the rest you will probably only have time to think about, but it would be helpful to write down **anything** you are not quite sure about. Above all, make sure that you know what you are going to write about before you start writing the finished version – the more clear you are in your own mind about ideas and expressions, the more confident you will be.

4. In the rest of the time available you should now carefully write the composition itself, leaving at least five minutes checking time at the end. Think carefully about what you are going to write and don't begin a sentence until you are sure how you are going to continue and end it. Don't forget to count the words as you go – it doesn't matter if your composition is a little longer than 120 words, but don't write less than that if you can help it.

Now over to you. In the plan outlined above you have most of the ingredients for writing the finished version. A suggested composition appears on page 118 but don't look at it until you have completed your own.

Picture composition 2

Write a story in French of about 130–150 words based on the set of pictures opposite. Use past tenses.

Notice that the instructions for this composition are much more specific than they were for the first one. You **must** use past tenses and you will have to keep a careful check on the number of words you use. You will have to be particularly careful not to write too much – only about twenty words to each picture.

There is no need to go so thoroughly into the planning and organisation as we did for the first composition, so here is a suggested outline plan.

Picture 1
Jean et Hélène ont décidé d'aller faire un pique-nique.

Picture 2
Ils sont arrivés au bord de la rivière. Ils se sont assis. Ils ont commencé à manger.

Picture 3
Des garçons sont arrivés. Ils ont commencé à jouer au football. Jean et Hélène étaient fâchés.

Picture 4
D'autres garçons sont arrivés. Ils ont commencé à lancer des cailloux.

Picture 5
Trois pêcheurs sont arrivés.

Picture 6
'J'en ai assez', a dit Jean. Ils sont partis.

Even the outline contains half the maximum number of words allowed so you will have to be careful not to overshoot. Write your own version now, using the outline given if you wish or, if you prefer, starting from scratch. A suggested version is on page 118 but finish your own before looking at it.

OVER TO YOU

Here are two more picture compositions for you to write. No planning help is given but suggested versions of them are on page 119.

Picture composition 3

Write a story in French of about 130–150 words based on the set of pictures below. Use the past tense.

Picture composition 4

Write a story in French of about 120 words based on the set of pictures below.

Unit 32
Other types of narrative

Other ways of giving you something to write about include outlines, instructions and introductory paragraphs.

Outlines vary a great deal in the amount of information they give you. Some of them give you the bulk of the detail of the story, while others just give you one or two details, leaving you to imagine what happened.

A **set of instructions** or an **introductory paragraph** usually just gives you a push to get you started and leaves you to invent almost everything.

The greatest difference, then, between writing about a set of pictures and writing around an outline or scene-setting is that pictures give you the story fairly exactly while a written stimulus usually leaves more to your imagination.

If you do have to invent most or all of a story, be as original and interesting as the range of your French will allow. Decide on your story line first then you can go on to written planning as you would for a picture story.

Here are step by step ways of tackling these types of composition.

A composition based on an introductory paragraph

1. Do not write out the following paragraph but continue the story from the point reached at its end. Use past tenses and make its length about 150 words. State at the end the number of words you have used.

Un jour Henri est arrivé de très bonne heure au lycée. A sa grande surprise, il a vu un nuage de fumée blanche qui sortait d'une des fenêtres de sa salle de classe.

a) The story
   This sort of beginning gives you a great deal of scope – the story could be continued in almost any way from this point but, of course, you must limit yourself to what you know you can deal with in French.

   Always go round obstacles rather than trying to tackle them head on when your French is not up to it. Always reject ideas which will lead you into situations your French cannot cope with. In this story, the simplest and wisest thing to do is to make Henri alert the fire brigade and have the firemen save the school – it might be more satisfying to have the school burnt to the ground but it would probably be more difficult for your French to cope with.

   If you prefer to write in the first person – using *je* – there is nothing to prevent you making yourself Henri.

b) The planning
   As with picture stories, it is a good idea to pick out the perfect tense actions and set them down:

   Henri a couru vers la maison du directeur. Le directeur a téléphoné aux pompiers.
   Les pompiers sont arrivés. Ils ont éteint l'incendie. Le directeur a remercié Henri. Il a fermé le lycée. Henri est rentré chez lui. Il a raconté l'histoire à ses parents.

   If you have time, try to set down some other phrases:
   'Vite monsieur! Il y a un incendie! Il faut téléphoner aux pompiers.'
   'Tu as bien fait, Henri!'

c) The finished version
   Write your own version of the composition, using some of the ideas above if you wish or starting from scratch if you prefer.

   Remember to write thoughtfully and carefully, thinking each sentence out before you begin to write it down. Don't look at the suggested version on page 119 until you have finished your own.

A composition on an outline

2. Write a story in French of about 130–150 words based on the following outline.

Vous faites des commissions en ville avec votre mère. Soudain, un homme sort en courant d'un magasin. Une femme crie, 'Au voleur!' Vous poursuivez l'homme qui monte dans une voiture et s'échappe. Vous avez le temps de noter le numéro d'immatriculation de la voiture. Plus tard la police arrête l'homme.

a) The story
   This 'cops and robbers' type of subject comes up quite often in exams and is fairly easy to deal with. The vocabulary doesn't vary a lot from one composition of this type to another – you use a lot of verbs of movement, the police are called or telephoned, you relate what happened to people, you use dramatic linking phrases like *tout à coup*, *sans hésiter* and so on. The outline in this case is very full and leaves little room for invention so you can begin planning straight away.

b) The planning
   You can base much of what you are going to write on the outline but as you are relating what happened you must use *je* and past tenses.
   A lot of outline compositions (and picture stories too) begin with some scene-setting, which you would put in the **imperfect** tense, so you could note these down before picking out the perfect tenses if you wish:
   j'étais en ville
   je faisais des commissions
   OR
   Un jour que je faisais les commissions en ville avec ma mère . . .
   Then you can look at the present tense verbs of the outline which refer to single actions and put them into the perfect tense:
   Un homme est sorti . . . une femme a crié . . . j'ai poursuivi l'homme . . . il est monté dans . . . il s'est échappé . . . j'ai eu le temps de noter . . . la police a arrêté l'homme
   Note down anything else you could use if you have time.

c) The finished version
   Now write your own version before checking the suggested version on page 119.

Here are four more compositions to deal with. This time no help is given with planning but suggested versions of numbers 3 and 5 are on page 120. Numbers 3 and 4 are 'continuation' compositions, 5 and 6 'outline' compositions.

3. Un jour vous aidez votre mère à faire les provisions. En retournant au parking, les mains pleines de paquets, vous trouvez que la voiture a disparu. Racontez la suite.

4. En vous couchant hier soir, vous avez entendu un bruit étrange. Quelqu'un jetait des cailloux contre votre fenêtre. Racontez la suite.

5. Racontez au passé l'histoire suivante:
Il fait beau – vous téléphonez à votre ami(e) – vous partez faire une promenade à vélo –

il commence à pleuvoir à verse – vous cherchez l'abri (shelter) dans une ferme – la fermière vous donne à manger et téléphone à vos parents.

6. Vous faisiez une promenade aux bois avec votre chien. Le chien a commencé à aboyer. Vous avez trouvé une petite fille de six ou sept ans – perdue évidemment. Vous l'avez emmenée à la maison et vous avez tout raconté à vos parents.

Unit 33
Informal letters

There are two main types of letters – those you write to someone you know and those you write to someone you may never have met – to book a holiday, for example, or to apply for a job. In examinations you could be asked to write a letter of either type but most exams require an informal letter so we shall concentrate on those first. Even informal letters have a lot of formality about them – the same type of phrase crops up in most letters over and over again, especially in 'newsy' letters. We'll examine some useful phrases later. Most informal letters have two main ingredients – the stock phrases we have just been talking about and general information.

1. Information
In 'newsy' letters, you tell people what you have been doing now or what you intend or hope to do in the future. This involves straightforward use of language which we have looked at earlier in this book. You have learned about the perfect tense so you can write about what you've been doing. You have learned about the present and future tenses so you can tell people about what you are doing or will do. You have learned about asking questions so you can ask people about themselves and so on.

2. Stock phrases
The information you give or ask for is usually linked together by stock phrases which are used a great deal by letter-writers.

While letters to people you know are 'chatty' in tone, they have a lot of these almost formal phrases in them too. When you think about it you don't normally write to really close friends unless one of you is away on holiday or something. You usually write to someone who lives elsewhere and close friends usually live close to you. This often leads to a sort of formality in parts of your letters. How often in letters in English do you 'fill in' with comments about the weather or write, 'I hope that . . .'? Almost every time probably.

So letters in both English and French contain phrases like this which are part of the ritual of exchanging information and well-wishing. Here are some French phrases. We'll assume that you know your correspondent well enough to use *tu*, *te*, *toi*, etc.

a) Beginning a letter

Cher Jean, Chère Jeanne,

Merci	pour	ta	lettre	
Je te remercie	de	ta	carte que j'ai reçue	il y a … jours
				hier
				lundi dernier
				aujourd'hui

Je m'excuse de ne pas avoir écrit plus tôt, j'ai été très occupé(e)

b) Referring to their letter

Je suis	content(e)	d'apprendre que tu …
	désolé	
	étonné	

Moi aussi, j'aime …
Ici c'est pareil …
Tu me dis que … moi aussi je …

c) Information – present tense

A présent	je suis en train de	travailler
En ce moment	je passe mon temps à	regarder la télé etc.

Au lycée	on a les examens
	on ne fait pas grand-chose

Heureusement c'est bientôt les vacances.
Comme d'habitude, il fait mauvais temps.
Il fait beau temps pour le début des vacances.

d) Information – past tenses

Hier	je suis allé voir	un bon film.
Avant-hier	j'ai vu	mes amis.
La semaine dernière	j'ai visité	Londres.

Je viens d'acheter …
Papa m'a emmené a …
Je l'ai trouvé intéressant(e) …
Je me suis bien amusé.

e) Intentions

Demain	je vais	visiter	ma tante.
Après-demain	je vais	voir	ma sœur.
La semaine prochaine	je vais	acheter	un disque.

Dans … jours	je serai	à
	j'irai	à
	je t'enverrai	une photo

f) Requests

Dans ta prochaine lettre pourrais-tu | m'envoyer une photo?
| me dire ce que tu fais au lycée?

g) Questions

Est-ce que tu | aimes ...?
| vas ...?
Je voudrais bien savoir si ...
Moi j'aime ... et toi?

h) Tastes

Je préfère ...
J'aime mieux ...
Je déteste ...

Ça | m'agace
Ça | m'énerve

C'est | formidable
| épatant
| terrible
| minable

Il est | beau
| gentil
| moche

i) Well-wishing

J'espère | que | tout le monde va bien chez toi.
| | tu te remettras bientôt.
| qu' | on se reverra bientôt.

j) Signing off

Ecris-moi vite.
J'attends avec impatience ta prochaine lettre.
Amitiés (à tous)
Bons baisers (girls only)
Bien amicalement
A bientôt

You should be able to include a few phrases of this sort in any informal examination letter. Here are some letters for you to try. Suggested versions appear on pages 120 and 121 but do your own first.

1. Write a letter in French, of about 120 words, to a penfriend who moved to Paris a month ago because of his/her work. Tell him/her your latest news and ask him/her about life in Paris.

2. You are going to spend a fortnight working in a shop in your summer holidays. Write a letter of about 120 words telling your French penfriend about the job.

3. Your French penfriend is coming to visit you. Write a letter to him/her making arrangements about meeting him/her at the railway station and discussing what you will do during his/her visit.

4. Read this letter then write an answer to it in about 120 words.

Tunis

le 10 août

Cher Robert,

   Je m'excuse de ne pas t'avoir écrit pendant mon séjour ici – je n'ai écrit à personne depuis un an et demi à part deux ou trois lettres à mes parents. Je ne voulais pas t'écrire parce que ça me ferait penser à la France et à mes amis là-bas mais maintenant on a fini le travail et je reviens la semaine prochaine pour deux mois de congé payé!

  Comment vas-tu et comment va ta famille? Ton père travaille toujours chez mon oncle André? Et ta sœur, est-ce qu'elle est toujours à l'Université?

  A propos, pourrais-tu réserver une table chez Guy pour fêter mon retour? Invite une douzaine de nos amis – y compris ta sœur, bien sûr!

  A la semaine prochaine,

Ton copain,

Roger

Unit 34
Formal letters

These can be of two types. First you can write a formal letter to someone you have met and know slightly but not well enough to call *tu*. You could be making arrangements to stay with them or thanking them for their hospitality, for example. Secondly, you write formal letters to people you have never met but have business with in some way – like reserving holiday accommodation or making enquiries at a *Syndicat d'Initiative* (Tourist Information Office).

1. If you are writing to someone you know only slightly or someone much older than yourself, you must be respectful, not chatty, and use *vous, votre, vos*, etc.
A common letter of this type is the thank-you letter after a holiday or a meal, or some kindness you have received. Try doing this one. A suggested version is on page 122.

Vous avez passé une vacance merveilleuse chez votre correspondant(e) en France. Ecrivez à ses parents pour les remercier de leur hospitalité.

USEFUL PHRASES

Je voudrais vous remercier de . . .
Je suis très reconnaissant(e)
J'ai été ravi de faire votre connaissance
J'ai passé un séjour inoubliable
Je n'ai jamais mangé de repas pareils
J'ai été très confortable
J'espère vous revoir

SIGNING OFF

Recevez, chers M. et Mme X, mes sentiments les plus respectueux.

2. If you are writing a business letter to someone you have never met, you needn't use *cher* or *chère*. Just begin *Monsieur*, or *Madame* or *Mademoiselle*. If you are writing to an establishment like an hotel or a firm and you don't know the name of the person in charge, it is safest to begin *Messieurs* — like our 'Dear Sirs'.

If you have a formal letter to write, it is likely that you will be asked to write to an establishment of some sort to ask for information or make a booking. Here are three letters of this type to write. Suggested versions are on page 122.

a) Write a letter to the *Syndicat d'Initiative* at Dinard asking about camping sites in the area and requesting the address of the Youth Hostel at nearby St. Lunaire.
b) Write to the director of a Paris fashion show, telling him that you and five others would like tickets for the show on April 12th.
c) Write to the manager of an hotel in Nice on behalf of your parents asking for accommodation for them, your brother and yourself for a fortnight beginning July 22nd. You want three separate rooms with shower or bath.

SOME USEFUL EXPRESSIONS

Monsieur le Directeur,
Messieurs,

J'ai l'intention de	visiter votre exposition le (date) . . .
Je voudrais	passer des vacances à
	réserver trois chambres

Voulez-vous être assez aimable pour	m'envoyer des renseignements sur . . .
Pourriez-vous	
Auriez-vous la gentillesse de	me réserver des places, des chambres
Serait-il possible de	

Je serais bien reconnaissant(e) si vous pouviez me communiquer l'adresse de . . .
Nous espérons arriver chez vous à . . .

SIGNING OFF

J'espère ne pas vous importuner
Je vous remercie d'avance et, dans cette attente, je vous prie d'agréer mes salutations distinguées.
Dans l'attente d'une réponse favorable, je vous prie, etc.

Reference section A
Suggested solutions

Unit 12 – Revision

La pêche

Un beau samedi matin, Pierre et Henri se sont levés de bonne heure et ils sont partis de la maison pour aller à la pêche. Ils se sont mis en route à cinq heures et ils sont arrivés au bord de la rivière une heure plus tard.

Ils ont commencé à pêcher mais ils n'ont rien pris. Au bout de quelque temps, ils ont mangé des sandwichs puis ils ont recommencé à pêcher. Ils ont pêché toute la journée mais en vain.

Tout à coup Pierre a eu une idée. Ils sont allés en ville et ils ont acheté des truites à la poissonnerie.

Ils sont rentrés chez eux et ils ont montré les truites à leurs parents.

'Regardez ce que nous avons pris!' ont-ils crié.

Unit 18

La fin d'une belle journée

Samedi dernier, Pierre a décidé d'aller voir Sylvie. Il a sorti son vélomoteur et est allé tout de suite chez elle.

Ils ont décidé d'aller faire un pique-nique. Ils sont montés au vélomoteur et se sont dirigés vers la campagne.

Il faisait très beau et très chaud donc ils ont trouvé un joli coin au bord de la rivière où il y avait beaucoup d'arbres. Ils ont mangé des sandwichs et ont bu de la limonade.

Ils sont repartis vers quatre heures pour rentrer chez eux. Il faisait toujours beau.

Soudain il a commencé à pleuvoir à verse. Au bout de quelque temps ils étaient trempés jusqu'aux os et avaient très froid.

Unit 26

Situation 1

'Gaston!' a crié Mme Leblanc, 'où as-tu acheté ça?'

'Je l'ai achetée à Robert, maman' a répondu Gaston.

'Combien l'as-tu payée?' a demandé Mme Leblanc.

'Quatre cents francs seulement', a dit Gaston, 'pas mal, hein?'

'Quatre cents francs! Mais comment as-tu pu trouver quatre cents francs?'

'Eh bien, j'ai économisé deux cents francs et j'ai vendu ma mobylette à Raoul. Il me l'a payée deux cents francs.'

Situation 2

'Où vas-tu, Raymond' a demandé Henri, 'tu ne vas pas à l'école?'

'A l'école? Mais non, j'ai marre de l'école. Je vais prendre l'autobus et je vais passer la journée au bord de la mer', a répondu Raymond.

'Au bord de la mer tu dis' a dit Raymond. 'C'est mieux que l'école. Je vais avec toi.'

Situation 3

'Alors monsieur', a dit un des agents en sortant son carnet, vous avez vu le vol?'

'Eh oui,' a répondu M. Larroque, 'j'ai tout vu'.

'Ils étaient combien?' a demandé l'agent.

'Ils étaient trois,' a répondu M. Larroque. 'Ils ont défoncé la vitrine et ils ont volé des montres et des bagues.'

'Comment était leur voiture?'

'C'était une Peugeot noire.'

'Vous pouvez décrire les voleurs?'

'Non, je regrette mais je ne peux pas. Ils étaient masqués.'

Un employé rusé

Jeudi dernier à dix heures précises, Monsieur Chardet, seul employé de la petite banque de Gourdan, a souri gentiment à son premier client du jour.

'Alors, monsieur, qu'y a-t-il pour votre service ce matin,' a-t-il demandé.

'D'abord' a répondu le client. 'tu mettras tout l'argent de ton tiroir dans ce petit sac-là, tu me le passeras puis tu te retourneras pour faire face au mur. Sans doute tu as remarqué que j'ai un revolver.'

'Bien sûr que oui!' a répondu M. Chardet obéissant avec alacrité aux ordres du bandit. Mais M. Chardet était un homme bien rusé et soudain il a eu une idée.

'Il vaudrait mieux vous dépêcher', a-t-il dit, 'car j'ai déjà sonné l'alarme à la gendarmerie en appuyant sur ce bouton à côté de mon pied.' A vrai dire il n'y avait pas de bouton mais le bandit a demandé, 'Il y a une autre sortie?'

'Par là', a répondu M. Chardet indiquant la grande porte ouverte derrière lui.

Aussitôt que le bandit y était passé, M. Chardet a vite fermé la lourde porte à clef, a empoché la clef et a fait un coup de téléphone.

'Allô! Police? Ah c'est toi, Gérard. Alors j'ai un bandit que je tiens au frais dans la chambre forte . . . Non! Il y est allé seul . . . Oui il est armé mais je suis sûr qu'il se rendra sans problèmes dans une heure ou deux . . . Bon je te verrai tout à l'heure.'

Unit 31

1. Comme il faisait beau, les Dubois ont décidé d'aller faire un pique-nique à la campagne. Monsieur Dubois a mis le panier sur la galerie, tout le monde est monté et ils sont partis.

Bientôt ils étaient à la campagne et tout le monde était très content. Soudain, le pique-nique est tombé sur la route. Personne ne l'a remarqué.

Cinq minutes plus tard, deux clochards sont arrivés et ont trouvé le panier.

'Jules!' a crié Jacques, 'regarde-moi ça!'

'Ah oui!' a répondu Jules, 'quelle chance!'

Sans hésiter ils ont pris le panier et ils se sont assis au bord de la route. Ils avaient très faim alors ils ont mangé tout le pique-nique. Ils se sont bien amusés.

2. Une belle journée d'été Jean et Hélène ont décidé d'aller faire un pique-nique. Il faisait très beau. Ils sont arrivés au bord de la rivière. Ils se sont assis et ont commencé à manger leur pique-nique. Tout était tranquille.

Mais, peu après, des petits garçons sont arrivés et ont commencé à jouer au football.

Jean et Hélène étaient tres fâchés. Puis d'autres petits garçons sont arrivés et ils ont commencé à lancer des cailloux à l'eau et à crier.

Finalement, trois pêcheurs sont arrivés et ont commencé à pêcher.

'Il ne fallait plus que ça,' a crié Jean. 'J'en ai assez. Partons!'

Et ils ont rassemblé toutes leurs affaires et sont rentrés chez eux.

3. Robert a décidé d'acheter un vélomoteur. Il a choisi un beau vélomoteur neuf et est parti faire un tour à la campagne. Il était très content.

Soudain il a vu une jolie fille avec un chien énorme au bord de la route et il s'est retourné pour les regarder. Malheureusement, comme il ne regardait plus où il allait, il est tombé à la rivière à côté de la route.

La jolie fille, qui s'appelait Mireille, et son chien, Brutus, l'ont aidé à sortir de l'eau. Ils sont devenus amis.

Quelques jours plus tard Robert, Mireille et Brutus sont allés ensemble acheter une auto. Quand on est trois, une auto est bien mieux qu'un vélomoteur!

4. C'était l'hiver et il neigeait. Catherine et Henri étaient bien contents car ils aimaient la neige.

'Sortons' a proposé Henri, 'et quand le facteur arrivera, on lui fera une surprise.'

Ils sont sortis et ils ont fait un gros tas de boules de neige. Quand Monsieur Lebrun, le facteur, est arrivé ils lui ont lancé des boules de neige. Malheureusement, il a glissé et il est tombé.

Leur mère était très fâchée et Monsieur Lebrun aussi.

'Montez à vos chambres tous les deux!' a-t-elle crié, 'Vous êtes très méchants!'

Les deux enfants étaient bien malheureux.

Unit 32

1. Sans hésiter, Henri a couru vers la maison du directeur qui se trouvait à côté du lycée. Il a frappé à la porte et le directeur est sorti tout de suite.

'Vite, monsieur!' a crié Henri, 'Il y a un incendie! Il faut téléphoner aux pompiers!'

Tout de suite, Monsieur Sauné a téléphoné et les pompiers sont arrivés au bout de deux ou trois minutes. Ils ont éteint l'incendie sans difficulté mais, comme il y avait de l'eau partout, M. Sauné a fermé le lycée pour la journée. Il a remercié Henri et tout le monde est parti.

A la maison Henri a raconté l'histoire à ses parents, 'Tu as bien fait, Henri,' a dit sa mère, 'et tu as un jour de congé aussi!'

2. La semaine dernière, j'étais en ville avec maman, l'aidant à faire les commissions. Comme nous passions devant un supermarché un homme est sorti en courant, une serviette à la main. Une femme est sortie après l'homme criant, 'Au voleur! Cet homme a pris notre argent!'

Sans hésiter, j'ai donné les provisions à maman et j'ai couru après l'homme qui disparaissait dans la foule. Cent mètres plus loin il est monté dans une Renault 12 et a démarré. Vite, j'ai sorti mon stylo et j'ai écrit à ma main 78 NK 75 – le numéro d'immatriculation de la Renault.

Quand je suis retourné au supermarché, les agents y étaient déjà et je leur ai montré le numéro à ma main. Une heure plus tard la police a arrêté l'homme et ils m'ont remercié.

3. 'Maman,' ai-je dit, 'tu es sûre que nous avons laissé la voiture ici?'

'Mais oui, bien sûr,' a-t-elle répondu. 'Allons téléphoner à la police.'

Juste à ce moment-là un agent est arrivé et nous lui avons raconté ce qui s'était passé.

'C'est une Peugeot 305 rouge?' a-t-il demandé.

'Oui c'est ça,' ai-je répondu. 'Où est-elle?'

'Elle est au poste de police,' a dit l'agent. 'Il est défendu de stationner ici, c'est un parking privé. C'est nous qui l'avons prise.'

Nous avons dû payer une amende de deux cents francs pour reprendre notre voiture. Papa a bien rigolé quand nous lui avons raconté l'histoire!

5. Hier, je me suis réveillé de bonne heure. Il faisait beau et c'était samedi alors j'ai décidé de téléphoner à Robert.

'Allô, Robert c'est toi?'

'Oui, bien sûr, que veux-tu à cette heure-ci?'

'Tu veux faire une promenade à vélo?'

'Oui, allons-y! A tout à l'heure!'

Nous sommes partis en vélo mais, au bout d'une heure il a commencé à pleuvoir à verse.

'Regarde là-bas,' a dit Robert, 'une ferme.'

Nous sommes allés à la porte et nous avons frappé. La fermière nous a faits entrer et nous a donné à manger. Elle était tres gentille. Elle a même téléphoné à nos parents pour leur dire où nous étions. Plus tard le père de Robert est arrivé dans sa camionnette et nous a ramenés chez nous.

Unit 33

Letter 1

le 20 mai

Cher Jean-Claude,

        Je m'excuse de ne pas avoir écrit plus tôt. J'ai été très occupé au lycée car on nous donne beaucoup à faire en ce moment. Comme tu sais, ce sera bientôt les examens et nous travaillons très dur. Tout le monde va bien ici – à part papa, qui est enrhumé.

Alors, comment trouves-tu Paris? Paris doit être beaucoup plus amusant que la vie à la campagne. Et comment va ton travail? Bien, j'espère.

Je te quitte maintenant car j'ai mes devoirs à faire. Mes meilleurs vœux à ta famille. Ecris-moi bientôt.

Amitiés,
Henry

Letter 2

le 5 septembre

Chère Hélène,

Tu te rappelles que je t'avais dit que j'allais chercher un emploi pendant les grandes vacances? Alors, j'en ai trouvé un dans une boulangerie. Je vais faire quinze jours de travail et on va me payer 28 livres par semaine.

Je commence à huit heures du matin et je travaille jusqu'à midi. Puis, après le déjeuner, qui est gratuit, je recommence à travailler à une heure. Je termine à cinq heures. La boulangerie est fermée le jeudi. Je servirai les clients au comptoir.

J'espère m'amuser et je gagnerai assez d'argent pour me payer de nouveaux vêtements aussi. A propos, tu as trouvé un emploi, toi? Ecris-moi bientôt.

Bons baisers,
Margaret

Letter 3

Cher Raymond,

Merci de ta lettre que j'ai reçue hier. Naturellement, nous viendrons te chercher à la gare. Ton train arrive à dix heures du soir donc tu seras fatigué et tu auras faim. Nous mangerons quelque chose puis il faut aller se coucher tôt car nous devrons nous lever de bonne heure samedi matin pour aller voir notre nouveau bateau à Newhaven.

Nous passerons beaucoup de temps au bord de la mer pendant ton séjour – j'espère que tu aimes la mer et qu'il fera beau temps. Nous irons aussi au Pays de Galles visiter ma grand-mère qui habite à Tenby. J'attends ton arrivée avec impatience.

Amitiés,
Rob

Letter 4

Cher Roger,

Merci de ta lettre, mon vieux – je te croyais mort! J'ai été bien content de recevoir la lettre et je suis très content de savoir que tu reviens. Tout va bien à Tunis? Et ton travail? Même si tout va bien, c'est formidable d'aller en vacances, non? A propos, ma sœur a été très contente quand je lui ai dit que tu reviendrais – elle est toujours à l'université mais elle sera chez nous pendant ton séjour.

Mon père travaille toujours chez ton oncle. Il est très content et ne changera jamais de travail. Ma mère va bien aussi et a commencé à travailler comme serveuse au nouveau restaurant qui vient d'ouvrir tout près de chez nous. Elle dit qu'elle s'ennuyait toute seule à la maison.

J'ai déjà réservé la table et j'ai invité quinze amis – ce sera une grande table!

A bientôt,
Robert

Unit 34

Letter 1

Chers Monsieur et Madame,
　　　　　　　　　　　　Je voudrais vous remercier de votre gentillesse pendant mon séjour chez vous. J'ai passé une vacance inoubliable et je dois dire que je n'ai jamais mangé de repas pareils et que j'espère en manger d'autres un jour! Quand André viendra chez moi en août, j'espère que nous pourrons lui offrir la même hospitalité que vous m'avez montrée.

　　Merci, encore une fois, de tout ce que vous avez fait pour moi et j'espère vous revoir bientôt. Dites à André que j'attends son arrivée avec beaucoup d'impatience.

　　Avec mes remerciements et mes sentiments les plus respectueux.

　　　　　　　　　　　　　　　　　　　James

Letter 2a

Monsieur le Directeur,
　　　　　　　　　　　Je suis un lycéen de Hexham, votre ville jumelle, et j'ai l'intention de venir faire du camping aux environs de Dinard en juillet avec deux amis. Ce sera notre première visite et nous vous prions de nous envoyer des renseignements sur les campings de votre région. Nous serions bien reconnaissants si vous pouviez nous communiquer aussi l'adresse de l'Auberge de Jeunesse à St. Lunaire.

　　Je vous remercie d'avance, Monsieur, et dans cette attente je vous prie d'agréer mes salutations distinguées.

　　　　　　　　　　　　　　　　　　　John Smith

Letter 2b

Monsieur le Directeur,
　　　　　　　　　　　Nous voudrions venir voir votre collection le 12 avril s'il reste des places. Nous sommes cinq lycéennes de Newcastle upon Tyne et nous étudions la mode au lycée. Auriez-vous la gentillesse de nous réserver cinq places pour le 12? En plus, nous serions très reconnaissants si vous pouviez nous communiquer l'adresse d'un bon hôtel pas trop cher assez près de la salle où aura lieu la collection.

　　Je vous remercie d'avance et, dans cette attente, je vous prie d'agréer mes salutations distinguées.

　　　　　　　　　　　　　　　　　　　Janet Price (Miss)

Letter 2c

Monsieur le Directeur,
　　　　　　　　　　　Je voudrais réserver trois chambres dans votre hôtel pour les quinze jours à partir du 22 juillet. Nous voudrions une chambre pour deux personnes – pour mes parents – et deux chambres à une personne pour mon frère et moi. Serait-il possible de nous réserver des chambres avec salle de bains ou douche?

　　Nous espérons arriver chez vous à dix heures du matin après avoir conduit pendant la nuit donc nous serons très fatigués. Si c'est possible, nous voudrions nous coucher pendant quelques heures après notre arrivée.

　　Dans l'attente d'une réponse favorable, je vous prie d'agréer mes sentiments distingués.

　　　　　　　　　　　　　　　　　　　Catherine Brooks

Reference section B
Present tense of some common verbs

PRESENT TENSE	REMARKS
1. -er verbs *chercher* to look for (remove **-er**, add these endings) je cherch**e** nous cherch**ons** tu cherch**es** vous cherch**ez** il) elle) cherch**e** ils) elles) cherch**ent**	By far the biggest group – about 4 out of 5 of all French verbs

2. -er verbs with oddities
 	
a) *acheter* to buy
  j'ach**è**te   nous achetons
  tu ach**è**tes   vous achetez
  il)
  elle) ach**è**te   ils)
  elles) ach**è**tent
	Extra accents on all parts
	but *nous* and *vous*.
	Others: *lever, mener, emmener, amener*

b) *jeter* to throw
  appeler to call
  je je**tt**e   nous je**t**ons
  j'appe**ll**e   nous appe**l**ons
	t, l doubles except for the
	nous and *vous* parts

c) *employer* to use j'emplo**i**e nous emplo**y**ons	*y* changes to *i* except for *nous* and *vous* parts – affects all verbs ending -*yer*
d) nous commen**ç**ons nous man**ge**ons	-*cer* verbs take *ç*, -*ger* verbs take extra *e* for *nous* parts

3. *ouvrir* to open
  j'ouvr**e**   nous ouvr**ons**
  tu ouvr**es**   vous ouvr**ez**
  il ouvr**e**   ils ouvr**ent**
	Small groups of verbs whose infinitives end in -*ir* but have present tense endings of -*er* verbs
	Others: *offrir* to offer; *couvrir* to cover; *souffrir* to suffer; *cueillir* to pick

4. Reflexive -*er* verbs
  se reposer to rest
  je **me** repose   nous **nous** reposons
  tu **te** reposes   vous **vous** reposez
  il **se** repose   ils **se** reposent
	A large number of reflexive verbs are -*er* verbs
	Others: *se réveiller* to awake; *se lever* to get up; *se laver* to get washed; *s'habiller* to get dressed; *se raser* to shave; *se coucher* to go to bed; *se dépêcher* to hurry; *s'amuser* to enjoy oneself; *s'ennuyer* to be bored; *s'appeler* to be called; *se rappeler* to remember

5. Regular -*ir* verbs
finir to finish
(remove -*ir*, add these endings)

je fin**is**	nous fin**issons**
tu fin**is**	vous fin**issez**
il fin**it**	ils fin**issent**

About a dozen in common use
Others: *choisir* to·choose; *réussir* to
succeed; *saisir* to seize; *punir* to punish;
réfléchir to ponder; *grossir* to put on
weight; *établir* to establish

---

6. Regular -*re* verbs
vendre to sell
(remove -*re*, add these endings)

je vend**s**	nous vend**ons**
tu vend**s**	vous vend**ez**
il vend	ils vend**ent**

Fairly large group. Plural like -*er* verbs

---

7. *avoir* to have

j'ai	nous avons
tu as	vous avez
il a	ils ont

être to be

je suis	nous sommes
tu es	vous êtes
il est	ils sont

Both can be used in their own right:
je suis fatigué
il a 13 ans
or as part of the perfect tense:
j'ai entendu
elle est sortie

---

8. *aller* to go

je vais	nous allons
tu vas	vous allez
il va	ils vont

faire to do, to make

je fais	nous faisons
tu fais	vous faites
il fait	ils font

This and the previous section contain all
the verbs whose *ils* part do not end in -*ent*,
the only verb whose *nous* part does not
end in -*ons* and two of the three verbs
whose *vous* parts do not end in -*ez* (the
third one is *dire*)

---

9. *vouloir* to want

je veux	nous voulons
tu veux	vous voulez
il veut	ils veulent

pouvoir to be able (can)

je peux	nous pouvons
tu peux	vous pouvez
il peut	ils peuvent

devoir to have to (must)

je dois	nous devons
tu dois	vous devez
il doit	ils doivent

Note the similarity of *vouloir* and *pouvoir*
Can I? *(est-ce que je peux?*
(puis-je?)

All of these are often used with following
infinitives
Je dois)
Je peux) *rester ici.*
Je veux)

NB *Je veux bien* I'd love to

0. *croire* to think, believe

je crois	nous croyons
tu crois	vous croyez
il croit	ils croient

voir to see

je vois	nous voyons
tu vois	vous voyez
il voit	ils voient

savoir to know

je sais	nous savons
tu sais	vous savez
il sait	ils savent

Note the similarity of *croire* and *voir*
NB *je crois bien* I think so
Savoir is used to mean 'can' when a **skill** is involved:
   Je sais nager.
   Il ne sait pas danser.

---

11. *dire* to say, tell

je dis	nous disons
tu dis	vous dites
il dit	ils disent

écrire to write

j'écris	nous écrivons
tu écris	vous écrivez
il écrit	ils écrivent

lire to read

je lis	nous lisons
tu lis	vous lisez
il lit	ils lisent

rire to laugh

je ris	nous rions
tu ris	vous riez
il rit	ils rient

Here are four verbs with infinitives all ending the same way and all having similar singular endings, but the plural sides are all different

---

12. *mettre* to put (on)

je mets	nous mettons
tu mets	vous mettez
il met	ils mettent

Others: *admettre* to admit; *permettre* to allow; *promettre* to promise; *se mettre en route* to set off

prendre to take

je prends	nous prenons
tu prends	vous prenez
il prend	ils prennent

Others: *comprendre* to understand; *apprendre* to learn; *surprendre* to surprise

13. *sortir* to go out

je sors	nous sortons
tu sors	vous sortez
il sort	ils sortent

Others:

partir to leave *je pars,* etc.
dormir to sleep *je dors,* etc.
se sentir to feel *je me sens,* etc.
servir to serve *je sers,* etc.
s'endormir to go to sleep *je m'endors,* etc.
mentir to lie *je mens,* etc.

---

14. *boire* to drink

je bois	nous buvons
tu bois	vous buvez
il boit	ils boivent

conduire to drive

je conduis	nous conduisons
tu conduis	vous conduisez
il conduit	ils conduisent

Others: *construire* to build; *réduire* to reduce; *traduire* to translate

---

15. *connaître* to know

je connais	nous connaissons
tu connais	vous connaissez
il connaît	ils connaissent

connaître to know people or places, not facts

Others: *reconnaître* to recognise; *paraître* to seem; *apparaître* to appear; *disparaître* to disappear

---

16. *venir* to come

je viens	nous venons
tu viens	vous venez
il vient	ils viennent

Others: *revenir* to come back; *devenir* to become; *se souvenir* to remember

tenir to hold

je tiens	nous tenons
tu tiens	vous tenez
il tient	ils tiennent

Others: *retenir* to retain; *contenir* to contain; *maintenir* to maintain; *appartenir* to belong; *se tenir* to stand

Reference section C
Useful phrases

EXCLAMATIONS

1.
mon dieu! good lord!
ça alors! good grief!
mince alors! well I never!
oh zut! blast!
comment! what!
tiens! well!
voyons! come now!
aïe! ouch!
ouf! phew!
tu penses! you're joking!

2.
au voleur! stop thief!
au feu! fire!
au secours! help!
allez-y! go on!
ça y est! that's it!
le voilà! there he (it) is!
le voici! here he (it) is!
regardez là-bas! look over there!
quelle horreur! that's awful!
quelle bousculade! what a crowd!

QUESTIONS
(See Unit 24 for further examples)

3.
que faire? what can we/you/they etc. do?
qu'est-ce qui est arrivé? what has happened?
qu'est-ce que tu as? what's the matter with you?
qu'est-ce que vous prenez? what will you have? (to drink)
comment cela est-il arrivé? how did it happen?
combien est-ce que je vous dois? how much do I owe you?
ça fait combien? how much is that?
il y a un(e) ... par ici? is there a ... near here?
pour aller à ..., s'il vous plaît? how do I get to the ... please?
quel est le chemin le plus court? which is the shortest way?
vous avez vu? did you see that?
c'est par là? is it that way?

OTHER USEFUL
CONVERSATIONAL PHRASES

4.
à tout à l'heure see you shortly
à bientôt see you soon
à demain see you tomorrow
on se reverra bientôt we'll see each other soon
bonne chance! good luck!
bonne route! drive safely!
bonne vacance! have a good holiday!
bon appétit! enjoy your meal!
entendu all right
d'accord O.K.

5.
salut! hi there!
et la santé, ça va? how are you feeling?
pas mal not bad
comme ci comme ça so so
beaucoup mieux much better
sans blague? no kidding?
quand même all the same
épatant! marvellous!
formidable! great!
veinard! lucky devil!

6.
c'est pareil it's all the same
ça m'est égal I don't mind
ça ne fait rien it doesn't matter
ce n'est pas la peine it isn't worth it
ça ne vaut pas la peine it isn't worth it
ça ne vaut pas le coup it isn't worth it
il vaudrait mieux partir it would be better to leave
comme tu voudras as you wish
tu l'as échappé belle you had a narrow escape
heureusement que vous êtes venu it's a good job you came

ORDERS
(Also see Unit 21)

7.
va chercher un agent! go and get a
   policeman!
viens ici! come here!
viens m'aider! come and help me!
va-t'en go away!
ne bouge pas! don't move!
reste là! stay there!
attends-moi! wait for me!
assieds-toi! sit down!
mets-toi là! sit down there!
ne fais rien! don't do anything

8.
laissez-moi passer! let me past!
demandez-lui de venir! ask him to come!
suivez-moi! follow me!
expliquez-moi tout! explain everything to
   me!
faites vite! hurry!
dites-moi ce qui s'est passé! tell me what
   happened!
mettez-les ici! put them here!
retirez-vous! get back!
dépêchez-vous! hurry up!

9.
NB In conversation *on* is sometimes used
   instead of *nous*
on reste ici? shall we stay here?
on s'en va? shall we go?
on a trouvé cet argent we found this money
qu'est-ce qu'on va faire? what shall we do?
où est-ce qu'on va? where are we going?
on sort ce soir? shall we go out tonight?

LINKING AND CONCLUDING
   PHRASES

10.
ce faisant as I did so
à mi-chemin halfway there
en rentrant chez moi on my way home
en me promenant when I was out for a walk
en descendant la rue as I went down the
   street
comme je passais as I was passing
je venais de rentrer I had just come home
à ma grande surprise to my great surprise
à toute vitesse as fast as possible
à toutes jambes as fast as I can run
avec mille précautions very carefully

11.
je leur ai raconté ce qui s'était passé I told
   them what had happened
ils sont arrivés en courant they ran up
j'ai pris mes jambes à mon cou I took to my
   heels
j'avais beau essayer ... try as I might ...
tout avait bien tourné everything had
   turned out alright
finalement on m'a ramené à la maison
   finally they brought me back home
et pour comble de malheur and to cap it all
tout le monde était bien content
   everybody was happy
**nous sommes rentrés, fatigués mais
   contents** we went home tired but happy
**la fin de l'histoire était bien plus heureu
   que son début** the incident ended much
   more happily than it had begun